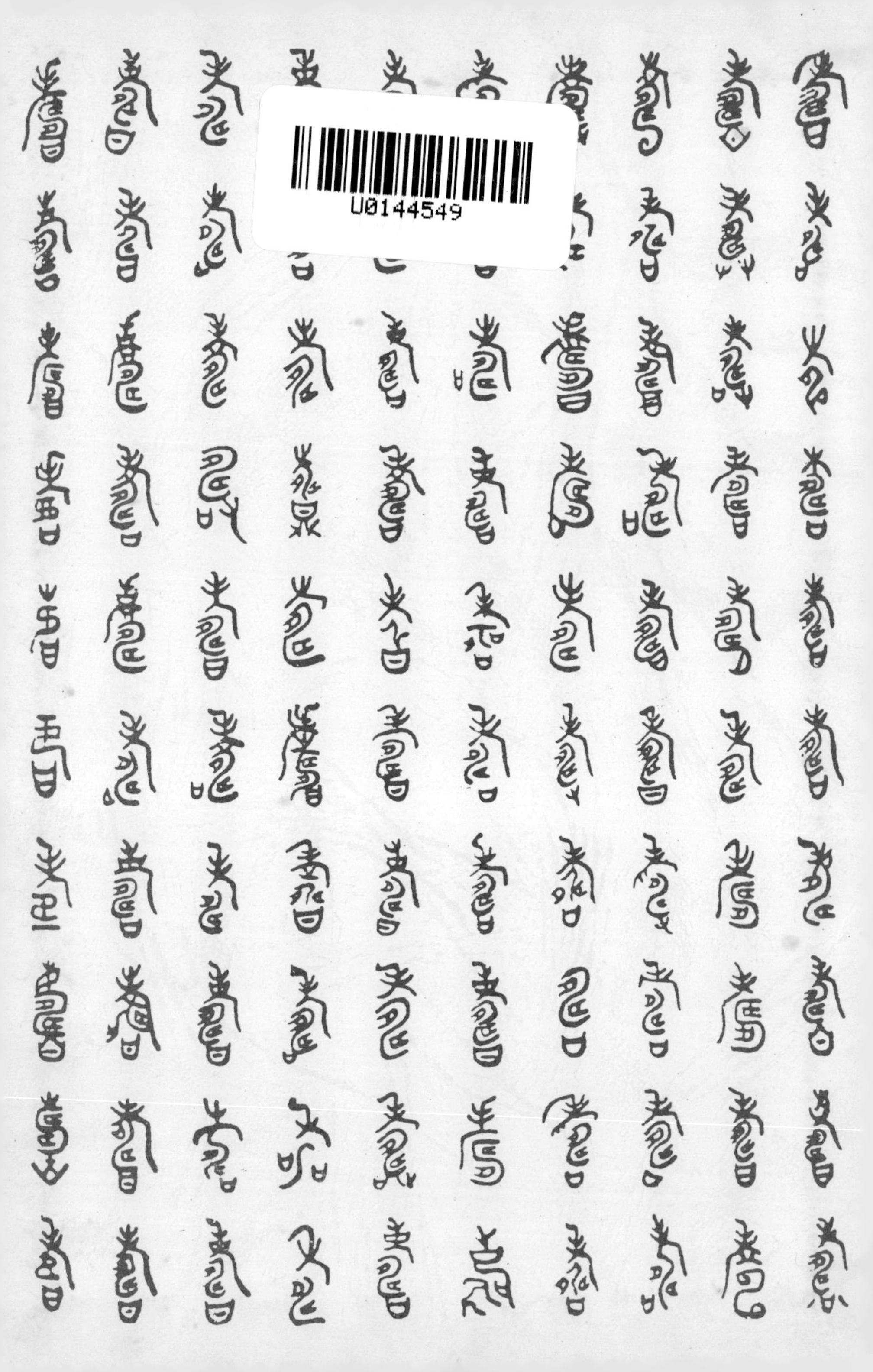
U0144549

劉正浩教授七十壽慶榮退紀念文集

劉正浩教授七十壽慶榮退紀念文集編委會編

文史哲出版社印行

序

古人云：「人生七十古來稀。」今人則以爲「人生七十才開始。」國立臺灣師範大學國文系教授劉老師正浩，今（八十八）年二月一日屆齡退休。曾游學於劉氏門下，遂撰論文，一則爲吾　師七秩嵩壽祝嘏，再則紀念吾　師屆齡榮退，既是可喜，又是可賀。

劉老師七秩壽慶榮退紀念論文集，凡有十三篇論文，分爲經學、子學、文學、文字、修辭等五類。經學有六篇：李清筠先生「《詩經》戀歌的表現藝術」、朱榮智先生「《左傳》『氣』字的幾種涵義」、張高評先生「高攀龍《春秋孔義》的解經方式」、賴貴三先生「焦循手批《春秋公羊傳註疏》釋文校察」、邱德修先生「從郭店楚簡《禮記・緇衣》看今本形成的原委」、吳聖雄先生「《禮記・檀弓・戰於郎》重詁」。子學類僅有一篇：陳麗桂先生「《荀子・解蔽》與《管子》四篇心術論的異同。」文學類有三篇：高秋鳳先生「宋玉〈笛賦〉眞僞考」、范宜如先生「《山海經》『樂園』神話的文化意涵」、顏瑞芳先生「雁奴故事的演變」。文字類有兩篇：姚榮松先生「從方言漢字的使用論漢字的適應性」、季旭昇先生「說元」。修辭類僅一篇：蔡宗陽「《楚辭》的修辭手法」。

紀念　劉老師七秩嵩壽暨榮退論文集，以經學類論文爲最多。　劉老師擅長經學、小學，尤以經學爲最專長，是以此次論文集側重經學，符合　劉老師之專長，既有意義，又有價值。誠如劉勰《文心雕龍・宗經》所云：「經世者，恆久之至道，不刊之鴻數也。」恭祝吾　師福如東海，壽比南山，福壽猶若經學之恆久。

國立臺灣師範大學國文系所主任蔡宗陽敬誌

中華民國八十八年六月八日於臺北

劉正浩教授七十壽慶榮退紀念文集 目錄

《詩經》戀歌的表現藝術

李清筠

提要

本文選取《詩經》中有關男女相戀描述的戀歌，藉由剖析詩人在章句、場景、情節、形象、取鏡等方面的精心設計，歸納其表現藝術的特色。

關鍵詞：詩經、戀歌、表現藝術。

戀歌是人情自然的歌詠

詩是人類心靈的記錄，男女相慕悅是情感的自然流露。長久以來，愛情一直是古今中外詩人歌詠的對象，其間湧動的眞情，千載以下仍令人神往。本文將範圍定在戀歌而非情歌，旨在探討男女相戀期間的各種面相，因此描寫夫婦之情的作品，就略而不論。然而所取樣的詩篇中，可能有若干無法從內容上，判斷所寫對象是戀人抑或夫婦，處理時，權且視爲戀歌。又本文所取錄的詩篇，究其詩旨，可能未必爲戀歌；但就其外現形式而言，則均可作戀歌解而不致穿鑿。

《詩經》作爲中國文學的源頭，無論在題材選取或表現手法方面，都予後人極多的啓迪。正因爲它的藝術表現手法豐富而多姿，限於能力及篇幅，僅就其中較具特色的部分，加以討論。

情感眞切而形象生動，是《詩經》戀歌的共同特點，而這樣的藝術效果，主要是因爲詩人精心設計了多樣表現手法。

一、表現情感的複沓章句

《詩經》戀歌，多出以重章疊詠的方式，極能曲盡纏綿之情。縱使詩中無重章的部分，章節間亦往往安排句法相類或意義相關的語句前後呼應，隱然若有絲線穿引其間。呈現了往復回旋、深摯婉約的情韻。

就章節的安排而言，可粗分爲下列三種：

㈠**完全疊詠**：各章句式一致，多用同語反復，只是其中一二詞語有所變易。此類篇章最多，透過複沓的章句，表現了熱烈的情感。而章與章之間的關係，有的是各章平列，如〈木瓜〉：

投我以木瓜，報之以瓊琚；匪報也，永以爲好也！
投我以木桃，報之以瓊瑤；匪報也，永以爲好也！
投我以木李，報之以瓊玖；匪報也，永以爲好也！

三章內容、結構和語言幾乎全然相同，在反覆詠嘆中，款款深情自然流露。有的是互相補足，如〈遵大路〉：

遵大路兮！摻執子之袪兮！無我惡兮，不寁故兮。

遵大路兮！摻執子之手兮！無我魗兮，不寁好也。

第二章的「魗」就是補充說明前一章「惡」的原因。也有的是逐層遞進，如〈將仲子〉：

將仲子兮！無踰我里，無折我樹杞。豈敢愛之？畏我父母。仲可懷也，父母之言，亦可畏也！

將仲子兮！無踰我牆，無折我樹桑。豈敢愛之？畏我諸兄。仲可懷也，諸兄之言，亦可畏也！

將仲子兮！無踰我園，無折我樹檀。豈敢愛之？畏人之多言。仲可懷也，人之多言，亦可畏也！

全詩由仲子與我兩方面著墨，分別使用「無踰我里、我牆、我園」（地點的由遠而近）和「畏我父母、諸兄、人」（關係的由近而遠）兩組層遞，將女子內心的渴望和矛盾，纖細地表現出來。前引〈遵大路〉詩，由首章的「摻執子之袪兮」，到二章的「摻執子之手兮」，也是以遞進的方式，表達情感的激切。

〈丰〉則可視爲此類的變體。全詩共分四章，一二章互爲疊詠、三四章互爲疊詠：

子之丰兮，俟我乎巷兮！悔予不送兮！

子之昌兮，俟我乎堂兮！悔予不將兮！

衣錦褧裳，裳錦褧裳；叔兮伯兮！駕予與行。

裳錦褧裳，衣錦褧兮；叔兮伯兮！駕予與歸。

詩的前後兩章分別組成兩個層次：第一個層次是以女子的追悔口吻寫拒婚；第二個層次則是以期待的心情寫許嫁。兩個層次都以複疊的手法來處理，很傳神的將主角懊惱、期待的心情表現出來。

㈡**不完全疊詠**：又可分做兩類

甲、一篇中數章重疊，部分獨立，如〈子衿〉的一、二章重疊，第三章獨立：

青青子衿，悠悠我心；縱我不往，子甯不嗣音？

青青子佩，悠悠我思；縱我不往，子甯不來？

挑兮達兮，在城闕兮！一日不見，如三月兮！

前兩章以複疊的方式，表達了強烈的思念之情，而兩句質問，更將嗔怨之意，深刻的揭示出來。也正因為前面兩章的疊詠，蓄積了足夠的情感力量，使得第三章中「挑兮達兮」的舉措，格外動人。

乙、一篇中各章均重疊某部分，如〈漢廣〉：

南有喬木，不可休息；漢有游女，不可求思。漢之廣矣，不可泳思！江之永矣，不可方思！

翹翹錯薪，言刈其楚；之子于歸，言秣其馬。漢之廣矣，不可泳思！江之永矣，不可方思！

翹翹錯薪，言刈其蔞；之子于歸，言秣其駒。漢之廣矣，不可泳思！江之永矣，不可方思！

三章末四句相重，形成了積累的深度，強化了慨嘆的情緒。而在這首詩中，第二、三章又是同構的複疊，這種多重複沓的方式，使全詩網絡緊密，情感的表現力更集中而深沈。

㈢**非重疊體**：各章雖然均不重疊，但以語句做為聯繫。

甲、有相類語句為聯絡者，如〈靜女〉第一章首句為「靜女其姝」，二章首句為「靜女其孌」；〈東門之枌〉二三章首句分別為「穀旦于差」、「穀旦于逝」；均是利用同構的句子來串聯章節。

乙、有相關語句爲呼應者，如〈野有死麕〉二章的「有女如玉」，對首章的「有女懷春」即有補充說明的作用。

除了章節的複沓外，詩人有時也運用疊句來表達纏綿的情感，如〈江有汜〉：

江有汜；之子歸，不我以，不我以，其後也悔。
江有渚；之子歸，不我與，不我與，其後也處。
江有沱；之子歸，不我過，不我過，其嘯也歌。

三章均採用了疊句的手法。相疊的句子，感情性質卻不相同。在本詩中，第一個句子只是對痛苦現實的陳述，第二個句子則是在語氣稍停後，對前句的確認，一方面加強了失落感，一方面也具有承上啓下的作用。

二、烘托情感的場景取擇

戀情的發生與滋長，都需要合宜的環境。《詩經》中的戀歌，除了寫實性的記錄了當時男女相會的地點外，時常著力描繪一個遼闊而美麗的場景，引發讀者的遐想，產生美感經驗。當然，詩中的這些景物，未必全爲實寫，然而對主角人物的形象或心境，往往具有烘托或對比的作用。以〈野有蔓草〉爲例：

野有蔓草，零露漙兮！有美一人，清揚婉兮！邂逅相遇，適我願兮！

野有蔓草，零露瀼瀼！有美一人，婉如清揚！邂逅相遇，與子偕臧！

兩章結構相同，均由三個層次組成。首二句是第一個層次，交待時間和場景，鏡頭下展開的是露水瀼瀼的清晨中，一片遼闊的原野。這是一個充滿生命力而又有著些許迷濛的場景，用來比況戀情，確實令人會心。不論這二句是實寫或虛筆，它所勾勒出的景致，都足以激發讀者美感經驗的共鳴，從而引發對一段美麗情感的期待和祝福。而這樣的時空描寫，對下文的「有美一人」，也具有襯托的作用。

而〈江有汜〉以「江水」展開的場景，則具有另一種效果。「水」意象和情詩之間，似乎存在著一分微妙的聯繫。從內在質素來看，水流的不絕，往往被詩人移用爲情感不斷的象徵；而水質的潔淨，亦足以體現感情的純美堅貞。然而水流的漫浩和支流的衍生，又可視爲情感世界阻隔和質變的象徵。《詩經》中有許多戀歌，將場景置放在水澤，〈關雎〉、〈蒹葭〉就是典型之作。細細品讀，我們不難發現，前述兩種象徵指向在作品中，往往是糅雜並存的。以〈江有汜〉爲例，全詩最先映現在讀者眼前的，應是滔滔滾滾的流水，隨後鏡頭一帶，畫面中突然出現了支流，而全詩的情感，也就在這樣的景致中傾瀉而出。

至於〈遵大道〉一詩，則以寬闊向外延展的大道爲場景，一方面凸顯出女主角的孤立無援，另一方面則和女主角無路可走的悲苦心境，形成強烈的對比，給予讀者相當大的心靈撞擊。

也有許多詩作僅藉由物象的變化來交待場景，並未明確指出處所，一樣也能產生烘托的效果。如〈月出〉：

月出皎兮！佼人僚兮！舒窈糾兮！勞心悄兮！
月出皓兮！佼人懰兮！舒懮受兮！勞心慅兮！
月出照兮！佼人燎兮！舒夭紹兮！勞心慘兮！

三章的第一句均寫月出之美，皎、皓、照三字，很精準地寫出了月亮皎潔、明亮和遍照大地的特色。就在這樣清麗的月色中，一位美麗女子，緩緩從詩人心中走出，撩動著他千般思緒。鄭玄以爲詩人在此是以月「喻婦人有美色之白皙」，此說固然有其根據，但如果僅從比的角度著眼，就可能使詩味僵死在某一個定點上，倒不如從意境的構成上，去掌握詩人在此處的用心。詩的開頭，透過圓潤晶瑩的月亮和溶溶夜色，創造出一個開闊而空靈的境界。然後鏡頭再帶出佼人，使美人和月色交相映襯，從而構成一個和諧的天地。而月光下的美人，一方面帶著點神秘色彩，引動綺想；一方面卻也給人不可捉摸的迷惘，帶出下文「勞心」的感懷。

三、張力十足的情節安排

戀情會隨著時間而有所變化，這變化的過程便形成了所謂的情節。詩人在記錄戀情時，會隨著訴求主題的不同，採取不同的表現方式。大體而言，可分爲以下兩種：

(一)特寫式情節

不說完整的故事，而是注意捕捉形象，選擇時機，擇取故事中包含最豐富的片斷，讀者可自行就此片斷所提供的訊息，領略、設想以補足其間的空白。有以少總多、形貌無遺的藝術效果。如〈遵大路〉，在這首簡短的詩篇中，詩人並沒有敘述完整的愛情故事，而是將筆墨集中於愛情劇中最令人震撼的畫面。詩好像沒頭沒腦地憑空而起，而在描繪了女主角苦苦挽留的情景之後，又戛然而止。然而讀者卻可從女子拉袖的動作和那一句句泣血相求的話語中，隱約看到整個悲劇的全景。

㈡**發展式情節**：透過詩文的敘述，將二人的戀情展開。依照描述的手法又可分為三種。

甲、直線進行：順著某一路線，漸次展現故事的內容，在推向最高潮後，戛然而止。有時通過章節間的承接來表現，如〈東門之池〉：

> 東門之池，可以漚麻；彼美淑姬，可與晤歌。
> 東門之池，可以漚紵；彼美淑姬，可與晤語。
> 東門之池，可以漚菅；彼美淑姬，可與晤言。

詩中的三章可視作愛情的三個階段，「可與晤歌」、「可與晤語」、「可與晤言」表面看來只有一字之差，細細品味，當可體會詩人匠心獨運之妙，因爲它正寫出了他們二人感情逐漸加深的過程。晤歌是以歌聲互相唱和，是雙方的初步接觸；經過了對歌定情的階段，雙方進一步交往而相會晤語；從晤歌到晤語，兩人空間距離縮短，也標誌著彼此心靈距離的減小。「可與晤言」可說是愛情的昇華階段，此時二人交談的內容，已由家常閒談進展到內心世界的剖白。

亦可藉由章內文句來展開情節，如〈桑中〉：

爰采唐矣，沬之鄉矣。云誰之思？美孟姜矣。期我乎桑中，要我乎上宮，送我乎淇之上矣。
爰采麥矣，沬之北矣。云誰之思？美孟弋矣。期我乎桑中，要我乎上宮，送我乎淇之上矣。
爰采葑矣，沬之東矣。云誰之思？美孟庸矣。期我乎桑中，要我乎上宮，送我乎淇之上矣。

全詩以「采唐」（「采麥」、「采葑」）的動作爲開端，隱含了一番苦苦探尋追求的過程①，而在二問二答之後，將詩歌推向第二個層次。「期」、「要」、「送」三字，含蓄地點出了情感的漸次發展。

乙、雙線並行：分寫兩端，雖各自發展，但感情基調相同，可謂兩種圖景，一般心事。如〈東門之墠〉：

東門之墠，茹藘在阪；其室則邇，其人甚遠。
東門之栗，有踐家室；豈不爾思，子不我即。

這首詩自來說解紛云。在內容上，或云男詞或云女詞；而在其手法上，則有以爲興有以爲賦。細玩全詩，若將其視爲分寫男女雙方相思之狀的戀歌，情韻較爲綿遠。方玉潤《詩經原始》便指出：「就首章而觀，曰室邇人遠者，男求女之詞也；就次章而論，曰子不我即者，女望男之心也。一詩自爲贈答，而均未謀面。」首章以景起興，烘托了女主角的豐盈美麗，也委婉含蓄地傳達出男主角心中的綿綿情思。其後再以對比的手法，寫他來到女子家門卻不得相見的悲苦。次章亦是借物起興，暗寓了男子的俊秀，也寄托了女主角濃濃的相思。因而接下來的兩句，她就以反詰的語句，在怨責中唱出了更熱烈的思戀。

丙、曲折繞行：在行進的路途中忽生枝節，具有增添情趣、加強情感力量的作用。有章內的轉折，如〈靜女〉中的「愛而不見」、〈溱洧〉中的「既且」，都製造了戲劇性的高潮。也有章節間的轉折，如〈關雎〉：

關關雎鳩，在河之洲；窈窕淑女，君子好逑。
參差荇菜，左右流之；窈窕淑女，寤寐求之。
求之不得，寤寐思服；悠哉悠哉，輾轉反側。
參差荇菜，左右采之；窈窕淑女，琴瑟友之。
參差荇菜，左右芼之；窈窕淑女，鐘鼓樂之。

全詩共分五章，以求字爲中心，表現了愛情追尋的歷程。首章以關雎起興，寄寓了對眞摯專一情感的想望，帶出所欲追求的對象；次章點出追求行動的開始；三章抒發求之不得的憂思，是全篇的關鍵；四五兩章則寫求而得之的喜悅[2]，但友、樂二字又有輕重深淺的不同。正因爲有第三章的轉折，蓄積了豐沛的力量，所以更能將友之、樂之的喜悅推到高峰。姚際恆在《詩經通論》中便指出：「前後四章，章四句，辭義悉協。今夾此四句于『寤寐求之』之下，『友之』、『樂之』二章之上，承上遞下，通篇精神全在此處。蓋必著此四句，方使下『友』、『樂』二義快足滿意。若無此，則上之云求，下之云友、樂，氣勢弱而不振矣。」

四、生動傳神的形象塑造

戀歌雖以寫情爲主，但對於主角人物的形象，也有很精彩的描繪，可謂有血有肉，精神活現。塑造人物形象，多半從形貌（含體態）、言語、動作及心理活動幾個角度著手。

形貌部分的描繪，一般而言較爲籠統。大致是從整體的角度著眼，在描寫手法上，則或用摹寫，如〈野有蔓草〉以「清揚婉兮」寫女子容貌之美；或採譬喻，如〈有女同車〉的「顏如舜華（英）」和〈東門之枌〉的「視爾如荍」；也有運用對照的筆法，將主角人物凸顯出來，如〈出其東門〉的「有女如雲，匪我思存，縞衣綦巾，聊樂我員」。

言語部分的處理比較精彩，很能將主角人物的性情表現出來。而這些言詞，多出於女子之口，集中表現了她們對情愛的熱烈追求。以〈溱洧〉爲例：

> 溱與洧，方渙渙兮。士與女，方秉蕑兮。女曰：「觀乎？」士曰：「既且。」「且往觀乎！」洧之外，洵訏且樂。維士與女，伊其相謔，贈之以勺藥。
>
> 溱與洧，瀏其清矣。士與女，殷其盈矣。女曰：「觀乎？」士曰：「既且。」「且往觀乎！」洧之外，洵訏且樂。維士與女，伊其相謔，贈之以勺藥。

這首詩藉由對話展開，在簡潔的敘述中，巧妙地渲染了盎然的春意，也表現了樸質率眞的情感。詩的一開頭，先總述了節日的歡樂氣氛，然後鏡頭便凝縮到一對青年男女身上。女子起先以探詢的口吻希望男友陪她一起去看熱鬧，語氣中表達了一分尊重和期待。沒想到男子聽後的反應是已經看過了，詩在這裡便形成了一個波瀾。然而女子並不放棄，又再次相邀。這回在言語中加入了「且往」二字，使得語氣有了轉變，表現了女子特有的嬌態。目前坊間的版本，多半將女子第二次所說的話，斷至「洵訏且樂」句，將「洧之外，洵訏且樂」視作女子勸說時所持的理由，這種斷法比較側重女子理智的一方面。個人則以爲將女子之言斷在「且往觀乎」，而把「洧之外，洵訏且樂」視作二人前往觀覽後所見，既能包含前說，又可集中表現女子的嬌態，詩味較濃。因爲「洵」字很顯然地說明了女子在勸說時，對洧水邊的景象，曾有過描繪。

對話雖然能夠傳神的表現人物的情態，但在詩作中，比較常使用的語言情境，還是獨白。有時它是以直接宣說的方式來呈現，如〈山有扶蘇〉：

山有扶蘇，隰有荷華。不見子都，乃見狂且！

山有橋松，隰有游龍。不見子充，乃見狡童！

這首詩朱熹以爲是「淫女戲其所私者」，透過「不見子都（充），乃見狂且（童）」的陳述，我們彷彿可以看到一個自然率眞、感情熾烈的小姑娘，指著心上人笑罵的俏模樣。

有時則是以含藏的方式幽幽訴說：如〈狡童〉：

彼狡童兮！不與我言兮！維子之故，使我不能餐兮！

彼狡童兮！不與我食兮！維子之故，使我不能息兮！

這首詩二章複疊，每章都分成兩個層次。前兩句是女子的傾訴，揭示了二人之間的摩擦。「彼」字的運用，十分傳神；既暗寓了空間的遠隔，又將少女活潑嬌嗔的情態點染出來。接下來的兩句，則是直接埋怨愛人，在「不能餐」、「不能息」的怨責中，蘊藏了無限的深情和期盼。短短四句，句句有怨，卻又句句含情，將少女情懷揣摩得相當細膩而貼切。

動作部分的刻畫不多，但偶爾揮就的幾筆，卻也具有傳神之妙。如〈靜女〉的「愛而不見，搔首踟躕」，就將男子當時焦灼萬狀的情態，窮形盡相地寫出。而〈遵大路〉的「執袖（手）」，也非常形象化地將女子竭力挽回的情狀，刻畫出來。

心理活動部分雖然著墨亦不多，但都是佳作。如〈采葛〉：

彼采葛兮。一日不見，如三月兮。

彼采蕭兮。一日不見，如三秋兮。

彼采艾兮。一日不見，如三歲兮。

全詩就內容而言，並沒有男女相悅的直接描寫，而是以戀愛中的一方爲描寫對象，擷取他一個個流動思維的片斷，連綴成篇。就人物的感情節奏言，三章詩中，人物感情的波動，隨著鋪陳描寫的順序，不斷推向新的高潮。而其中「一日不見，如三月（秋、歲）兮」的誇張述寫，無疑帶有一種荒誕的意味。然而正是這種看似荒誕的內心體驗，才足以將主角人物的相思之苦，描畫得細緻入微。

而〈東門之墠〉中的「其室則邇，其人則遠」，則是通過室邇人遠的絕妙對舉，眞實而強烈地刻畫了戀愛男女特有的咫尺天涯的相思愁苦，產生了動人心魄的藝術魅力。所以孫曠稱美此詩道：「兩語工絕，後世情語皆本此也。」（《評詩經》）

五、靈動流暢的鏡頭運轉

詩歌透過細膩的畫面處理，往往可以給人相當鮮明的視覺印象。在戀歌中，我們可以看到詩人靈動地運轉鏡頭，將詩旨作了最貼切的詮釋。就鏡頭的視點來看，大致可分為下列兩種：

㈠**單一視點**：將鏡頭固定於某一點，最適於捕捉在時間流逝中的變動。如〈東門之楊〉：

> 東門之楊，其葉牂牂。昏以為期，明星煌煌。
> 東門之楊，其葉肺肺。昏以為期，明星晢晢。

這首詩在戀歌中是很特殊的。全詩純是寫景敘事，但任何人品讀之後，都會深深地被其中蘊含的痴情所感動。前後二章都是以東門之楊入筆，點明約會地點，並醞釀了幽靜美好的情調。但接下來的兩句，卻透過由黃昏到星夜的時間轉換，暗示了對方的失約。等待的焦急、沮喪和懊惱，都在星光燦爛的夜空下，靜靜流瀉。為了表現等待的執著，詩人是將鏡頭一直定著在東門之楊這個大場景上，讓讀者靜靜感受由昏而夜的點點煎熬。

㈡**移動視點**：鏡頭在遠景近景或男女雙方間移動，如〈月出〉一詩，鏡頭拉得很遠，以攝取一個月光遍照的世界；然後鏡頭略為拉近，一個體態輕盈的女子入鏡；最後鏡頭轉至詩人自身，由遠而近，最後停格在他滿布憂思的面龐上。隨著鏡頭的轉移，讀者也一步步地走進了詩歌的內在世界。而《關雎》首章，詩人先是拉出了一個遠景，然後以聲入景。藉關關之聲，誘引讀者的注意，隨後鏡頭開始移動並拉近，在鏡頭的帶領下，我們找到了聲音的來源：沙洲上的雎鳩。這一部分的畫面處理，和全篇所要呈現的追尋歷程，有著很巧妙的扣合。

藝術手法的分析，有助於詩義的掌握。透過前面的討論，我們可以發現；詩人運用其靈思妙筆，呈現了戀歌這個範疇多樣化的面貌，同時也深化了湧動其間的眞摯情感。

【附註】

① 戀歌中常透過摘採的動作，來象徵情感的追尋，除本詩外，〈關雎〉中的「參差荇菜，左右流（采、芼）之」亦有同樣的作用。摘採的進行，一方面呈現了尋找、揀選的過程，一方面也顯示出成果的獲取。

② 這兩章可以看做是實寫，那麼全詩就完整的呈現了戀情的進行過程；如果把這兩章看做是君子在求而不得時，內心的祝願，在情節的經營上，就更具表現力。因爲如此一來，感情的進行，是透過間接的手法來呈現，而在這番想望中，原先輾轉反側的哀感得以昇華，主角形象也就更加立體鮮明。

左傳「氣」字的幾種涵義

朱榮智

氣字的涵義，最早是指雲氣，爲自然之氣。①《易傳》及老子，首先把氣字看成宇宙的本源，爲天地的元氣。②隨著先民生活的進步，語言結構也不斷改變，語意的表達，也日趨繁富，氣字的涵義，也由天地的元氣，增衍爲人體之氣。因爲氣既爲天地萬物創生的元素，人爲萬物之一，人的生命來源，當然也是氣；氣遍佈在天地之間，氣當然也在人身周體流行。

人體之氣，大別可分生理之氣與心理之氣。生理之氣，包括：

血氣——周遍於身體，爲生命的活動力，或稱爲元氣。

息氣——人體呼吸的氣息。

聲氣——人體生命力，透過發音器官，所發出的聲音。

心理之氣，則包括：

神氣——爲人體生命力的作用及外現，俗稱精神。

志氣——由心志的活動，所表現的氣象。

勇氣——人體表現於勇力的精神面貌。

在古代的史書中，最早提到人體之氣的，是《左傳》。《左傳》所載有關人體之氣的資料，已可分別為生理之氣與心理之氣。所指生理之氣，含血氣與聲氣；所指心理之氣，則是偏重勇氣。茲分別條舉如下：

(一)血氣

《左傳》僖公十五年：

> 今乘異產以從戎事，及懼而變，將與人易。亂氣狡憤，陰血周作，張脈僨興，外彊中乾，進退不可，周旋不能，君必悔之。③

這是慶鄭勸諫晉侯，作戰時不可乘坐異產的馬，以防止變故的時候，難以駕御。此文「亂氣」的「氣」，是指馬的血氣。孔穎達〈正義〉：「言馬之亂氣，狡戾而憤滿，陰血偏身而動作，張脈動起。外雖有彊形，內實乾竭。外為陽，內為陰，血在膚內，故稱陰血，血既動作，脈必張起，故言張脈也。」

《左傳》襄公二十一年：

> 瘠則甚矣！而血氣未動。④

《左傳》：「夏，楚子庚卒，楚子使薳子馮為令尹，訪於申叔豫。叔豫曰：國多寵而王弱，國不可為也。遂以疾辭。方暑，闕地下冰而牀焉，重繭衣裘，鮮食而寢。楚子使醫視之。」薳子馮為了不想當令尹而裝病，在大熱天，於牀下置冰，使有寒氣，而穿大衣，蓋厚被，又節食，表示沒有胃口。楚國太醫看完病，說他雖然很瘦，但是血氣平順，沒有動亂，表示身體無疾。不過，後來楚國國君還是改派子南爲令尹。

《左傳》昭公元年：

君子有四時，朝以聽政，晝以訪問，夕以脩令，夜以安身，於是乎節宣其氣，勿使有所壅閉湫底以露其體。⑤

孔穎達〈正義〉：「壅謂障而不使行，若土雍水也；閉謂散而不得出，若閉門戶也；湫謂氣聚；底謂氣止。四者皆是不散之意也。氣不散則食不消，食不消則食少，食少則肌膚瘦，肌膚瘦則骸骨露也。言人之養身，當須宣散其氣，勿使氣有壅閉集滯，以羸露其形骸也。」晉侯有疾，鄭伯使子產如晉，聘且問疾，認爲養身之道，貴在節宣其氣，而不要使氣壅閉集滯。

《左傳》昭公九年：

味以行氣，氣以實志，志以定言。⑥

味，指飲食，用以維持生命的存在，所以說：「味以行氣。」氣和則志充，因此，氣以實志。在心爲志，出口爲言，因此，「志以定言。」孔穎達〈正義〉：「調和飲食之味以養人，所以行人氣也，氣得和順，所以充人志也，志意充滿，慮之於心，所以定言語也。」

《左傳》昭公十年：

讓，德之至也，謂懿德。凡有氣血，皆有爭心，故利不可強，思義爲愈。義，利之本也。⑦

「凡有氣血」，指凡有血氣之人，此爲晏子勸陳桓子，凡有血氣之人，都有爭強好勝的心，因此不可強求於利，而要去利求義。

《左傳》昭公十一年：

不道、不共、不昭、不從，無守氣矣！⑧

單子會韓宣子于戚，「視下，言徐」，叔向據此而判斷單子不能活命很久。杜預〈注〉：「貌正曰共，言順曰從。」朝會之事，必須抬頭挺胸，很有精神，講話聲音宏亮，很有氣勢，而單子卻垂頭喪氣，說話聲音微弱，表示身體很虛弱。此文「守氣」的「氣」，是指血氣、元氣，爲人體的生命力，一個人沒有元氣，當然表示身體衰弱，不能久命了。

㈡聲氣

《左傳》襄公三十一年：

君子在位可畏，施舍可愛，進退可度，周旋可則，容止可觀，作事可法，德行可象，聲氣可樂，動作有文，言語有章，以臨其下，謂之有威儀也。⑨

這是北宮文子爲衛侯形容君子在位的威儀。此文的「聲氣」，是指人體發出的聲音氣調。

㈢勇氣

《左傳》莊公十年：

夫戰，勇氣也。一鼓作氣，再而衰，三而竭。⑩

這是曹劌向魯莊公論作戰致勝的道理。他認爲作戰，全靠戰士的勇氣、鬥志，在第一次擊鼓進軍的時候，士氣最爲高昂旺盛，再來就會衰竭了。此文的「勇氣」，是指作戰的鬥志。

《左傳》僖公二十二年：

三軍以利用也，金鼓以聲氣也。利而用之，阻隘可也；聲盛致志，鼓儳可也。

「聲盛致志」，鼓氣壯盛，可以引發勇敢作戰的心志。古代兩軍作戰，前進則擊鼓，退兵則鳴金，金、鼓二物，以聲壯氣，鼓聲雄壯，是以激發旺盛的戰鬥意志。

另外，《左傳》也有六氣、望氣之說，則是指自然之氣。《左傳》昭公元年：

天有六氣，降生五味，發爲五色，徵爲五聲，淫生六疾。六氣曰：陰陽風雨晦明也。分爲四時，序爲五節，過則爲菑。陰淫寒疾，陽淫熱疾，風淫末疾，雨淫腹疾，晦淫心疾。⑪

又昭公二十五年：

則天之明，因地之性，生其六氣，用其五行。氣爲五味，發爲五色，章爲五聲。⑫

《左傳》所謂的六氣——陰陽風雨晦明，是指自然天候的六種變化。何謂陰陽？《說文解字》十四篇下：

陰，闇也。水之南，山之北也。从阜、侌聲。

又：

陽，高明也。从阜，昜聲。

段玉裁注：

> 夫造化陰、昜之气，本不可象，故霒與陰，昜與陽，皆叚雲日山阜，以見其意而已。

向日爲陽，背日爲陰，陰陽二氣，陰爲陰暗，陽爲陽明。

風雨二者，風爲空氣的流動，雨爲「水從雲下」。《說文解字》十三篇下：

> 風，八風也。東方曰明庶風，東南曰清明風，南方曰景風，西南曰涼風，西方曰閶闔風，西北曰不周風，北方曰廣莫風，東北曰融風。

《說文解字》十一篇下：

> 雨，水從雲下也。

晦明二氣，指晝夜而已，晦爲夜，明爲晝。《說文解字》七篇上：

> 晦，月盡也。

又：

> 明，照也。

風起雲湧，時雨普降，晝夜替變，陰陽迭起，這些都是先民所習見的自然景象。我國自古以農立國，自然景象的變化，影響農作物的成長和收割，當然是先民所重視。《尚書．堯典》：

> （堯）乃命羲和，欽若昊天，歷象日月星辰，敬授人時。

堯帝任命羲氏、和氏，掌管天地、四時的官，要他們敬謹地順應上天，依照日月星辰的運行度數，來

推斷曆法，訂定時令節氣，很謹愼地把四時月令頒授給人民，教導人民耕作。《左傳》僖

公五年：

《左傳》的「望風」之說，是由觀察氣候，以明耕稼的吉凶，進而推論國家的治亂。

公既視朔，遂登觀臺以望而書，禮也。凡分至啓閉，必書雲物，爲備故也。⑬

昭公二十年：

梓愼望氣，曰：今茲宋有亂，國幾亡，三年而後弭；蔡有大喪。⑭

「凡分至啓閉，必書雲物，爲備故也。」分，謂春分、秋分。至，謂夏至、冬至，啓，謂立春、立夏，閉，謂立秋、立冬，在各種節氣，都要望氣的吉凶，加以記載，以爲戒備，可見古人對天候變化的重視。至於「梓愼望氣」，更是由天候的變化，觀測人世的禍福。

「梓愼望氣」，是由天候的變化，觀測人世的禍福，《荀子．勸學》：「不觀氣色而言，謂之瞽。」則轉爲觀察人的血氣形於顏面者。漢、魏之際，盛行人物品鑒，強調從人體的氣色、眼神、聲音、語調等外在的徵象，來觀察一個人的內在才性，如劉劭的《人物志》，希望能以一套知人之術，量才授官，振興政教，就是由形以知性，以氣而論人。

曹丕〈典論論文〉一文，首開以氣論文的風氣。⑮這和漢、魏之際盛行人物品鑒，主張以氣論人，有直接的關係。人物品鑒，不只普遍流行於曹丕當時的社會，曹丕本人意欲折服孫權，也曾以許劭的月旦之評爲威脅。⑯同時，《隋書．經籍志》所錄品鑒人物才性之書，魏朝除劉劭《人物志》外，曹

丕也有《士操》一書，可惜已經亡佚。我們由此可以看出曹丕與當時人物品鑒風氣的關係，和他對人物品鑒的重視。人物的品鑒，強調以氣論人，曹丕應用此一觀念，提出文氣論，以氣論文，這是十分自然的事。

不管是以氣論人，或是以氣論文，都是強調「用氣爲性，性成命定。」⑰氣既構成人的性，也決定人的命，而人的身體形相，也是由氣而成，這與《左傳》對氣的幾個涵義，都有密切的關係。大體而言，人稟氣而生，有氣斯有形，有形斯有聲，人能發出聲音，說話、唱歌、吟詩……，種種聲音的表現，都是源於氣的作用。稟氣有剛柔、清濁，發爲聲音，也有剛柔、清濁。

聲與氣的關係，互爲影響。發聲於氣，而聲可動氣。《左傳》所載，古人作戰，懂得藉雄壯的鼓聲，以振奮戰士的勇氣，這是以聲壯氣的作用。

【附註】

① 許愼《說文解字》一篇上：「气，雲气也，象形，凡气之屬皆从气。」段玉裁注：「气本雲气，引申凡气之稱，象雲起之貌。」

② 《易傳・繫辭上》：「是故易有太極，是生兩儀，兩儀生四象，四象生八卦，八卦定吉凶。」孔穎達〈正義〉：「太極謂天地未分之前元氣，混而爲一，即是太初、太一也。」可見《易傳》即以太極爲絕對的太一，無形無象，爲天地未分之前，渾沌的元氣。《老子》第四十二章：「道生一，一生二，二生三，三生萬物。萬物負陰而抱陽，沖氣以爲和。」老子所謂的「一」，是指陰陽未分的一氣。

③ 見《左傳注疏》卷十四。

④ 見《左傳注疏》卷三十四。

⑤ 見《左傳注疏》卷四十一。

⑥ 見《左傳注疏》卷四十五。

⑦ 見《左傳注疏》卷四十五。

⑧ 見《左傳注疏》卷四十五。

⑨ 見《左傳注疏》卷四十。

⑩ 見《左傳注疏》卷八。

⑪ 見《左傳注疏》卷四十一。

⑫ 見《左傳注疏》卷五十一。

⑬ 見《左傳注疏》卷十二。

⑭ 見《左傳注疏》卷四十九。

⑮ 〈典論論文〉：「文以氣爲主，氣以清濁有體，不可力強而致。」

⑯ 《三國志・吳志卷十三》引《魏略》：「太子（曹丕）書報（鍾）繇，曰：若（孫）權復黠，當折以汝南許劭月旦之評。」

⑰ 見王充《論衡・無形篇》。

高攀龍《春秋孔義》的解經方式

張高評

一、前言

明代經學，號稱衰微荒疏，無所發明，此自《明史·儒林傳》、《四庫全書總目》、皮錫瑞《經學歷史》、焦循〈國史儒林文苑傳序〉①，皆衆口一詞，幾成定讞。惟劉師培《國學發微》、章炳麟〈說林〉獨排衆議，推崇明人經學，以爲開清人之先路②。明代經學之虛實精粗究竟如何？理當辨章學術，考鏡淵流，實事求是，還其本眞。中央研究院中國文哲研究所爲此，曾召開「明代經學國際研討會」，發表論文二十三篇，筆者在會中提出〈高攀龍《春秋孔義》初探——以「取義」爲例〉一文③，爲篇幅所限，未能暢所欲言。今再提出本篇，從解經方式探討《春秋孔義》之價值，尚祈學界方家指正之。

高攀龍（一五六二——一六二六），字存之，號景逸，明江蘇無錫人，神宗萬曆十七年進士。立朝方正，往往上疏糾彈朝政，不爲當局所容，遂謫官而歸。與顧憲成修復東林書院，講學其中，以爲「紀綱世界，全要是非明白」，小人聞而惡之，遂目爲東林黨人④。天啓改元，復起用先生，時孫淇澳舉《春秋》大義，以之彈劾「紅丸案」，先生見之曰：「此一部《春秋》也」，力持正論，不稍顧忌，議方從哲無君之罪狀；其大義凜然，昌明討賊之義，有如此者⑤。「梃擊案」三臣，爲君父告變，執法獲罪，先生特請謚蔭，以旌其忠。於是得罪魏忠賢閹黨，坐「移宮」一案，削籍爲民⑥。當道毀東林書院，以邪黨逮捕先生，不屈，竟自沈池水而終。其立身耿介忠烈有如此者⑦。

高氏理學，折衷程、朱、陸、王，而歸本於朱學，蓋緣於救世之弊。於儒家經世致用之現實精神，有具體之發揮；於晚明清初之學風，有實質之影響。宋明理學，即是聖人之學，其極致在「學爲孔子」。高氏著有《古本大學》、《四子要書》、《周易孔義》，以及《春秋孔義》諸書，即是藉研治典藉，以即言得意，終極目標在「明聖人之道」。高氏《春秋》學著作「顏以《孔義》者，欲誦法孔子，不失爲聖人之徒也」，其中自有程、朱一派回歸原典、取證經書、注重聞見之知，落實經世致用之宗風在。高氏抨擊近儒，炫新愛奇，以意說經，於是《孔義》解經，兼採漢、宋，折衷諸家，斟酌四傳，歸於至當；據此以經解經、據傳求經。東林講學對世道人心既有觸發，晚明學風乃爲之一變⑧。此種解經方式，對於清代經學，尤其是《春秋》學，自有深遠影響。從可證劉師培、章炳麟之推崇明人經學，自有據依與見地。

孔子《春秋》，據魯史舊聞（即《不修春秋》）筆削而成。於史料之去取，損益、安排、措注之間，必有所以然之故，此即孔子所謂「其義則丘竊取之」的「義」。元黃澤研治《春秋》，以爲《春秋》有魯史書法，有聖人書法，兩者宜相濟並用，始能獲知「書法」之眞諦⑨。《春秋》之價值，盡在於「義」；否則，《春秋》眞成王安石所謂的「斷爛朝報」矣。唯《春秋》書成之後，其中褒諱抑損之究竟，由於「推見至隱」的緣故，未能以書見，於是《左傳》以史傳經，《公》《穀》以義傳經，晉唐宋元之經解傳註，亦風起雲湧，家自爲說，皆以爲能窺聖心。清姚際恆《春秋通論・序》稱：「諸經之亡，皆亡于傳注」；《詩經通論・序》以爲「漢人之失在于固，宋人之失在于妄，明人之失在于鑿」，漢宋明人經說，皆有得並有所失。故高氏《春秋孔義》解經，除標榜「以經解經」外，斟酌四傳，折衷諸家；辨疑考證，推求孔義之「據傳求經」方式，亦爲高氏所慣用。

《四庫全書總目》（案：以下簡稱《總目》）稱《春秋孔義》：「是書斟酌於《左氏》、《公羊》、《穀梁》、胡安國四家之傳，無所攷證，亦無所穿鑿。意主於以經解經，凡經無傳有者，不敢信；傳無經有者，不敢疑，故名曰《孔義》，明爲孔子之義，而非諸儒之臆說。」據此以言，則高氏之《孔義》與黃澤說《春秋》要法，所謂「以經證傳，亦復以傳證經」相近（趙汸《春秋師說》卷下〈論學春秋之要〉）；且頗似姚際恆《春秋通論・序》所謂「舍傳以從經」之說，又有所不同。⑩試披讀《春秋孔義》一書，以檢驗《總目》之論，知《總目》所言，不夠明確；且不該不徧，未獲應會。今就解經方式一端，嘗試論述如下：

據《總目》言，《春秋孔義》對經傳的疑信態度，是信經疑傳；綜觀全書，應是信經採傳，較得理實。就其表現，有二大方式：或以經解經，或據傳求經，其中自有別裁特識；以經解經，特解經之二大方式其一而已。書名《孔義》，乃參酌諸儒諸傳之說，不必爲孔子之義；書稱《孔義》者，融鑄成言，折衷諸家，自以爲窺見孔子《春秋》之樊籬，攀附聖經，所以自推重而已。茲將高攀龍《春秋孔義》之二大解經方式，條述論證如後：

二、以經解經——「内證法」的解經方式

漢唐之際，《春秋》經學大抵信守三傳，甚至於專主一家，棄經信傳。杜預、孔穎達之書行，無異以《左傳》替代《春秋》，遂令學者但知有《左氏》，不知有《公》、《穀》；徒賞《左傳》之文采，而不知有《春秋》之微旨。於是乎啖助、趙匡、陸淳輩出，有感於「先儒各守一傳，不肯相通；黨於所習，不識宗本」，因此主張「考覈三傳，舍短取長；又集前賢註釋，亦以愚意裨補闕漏，商搉得失」⑪。韓愈〈贈盧仝〉詩所謂「《春秋》三傳束高閣，獨抱遺經究終始」（卷七），差可形容當時之實況。此種信經駁傳，回歸原典的呼籲；會通三傳，變專門爲通學之創舉；重新詮釋經典，改造文化傳統之作法，直接開啓宋代疑經疑傳之風氣⑫。明代經學對《五經大全》之反響，晚明經學之懷疑宋學、復興漢學之運動，亦深受其影響⑬。

高攀龍《春秋孔義》之作，大抵薪傳宋人治《春秋》之法，遠紹啖助學派，治經不拘守專門一家，尤其致力於回歸原典，以經解經；觀其書稱《孔義》，其所標榜，可謂昭然若揭。考其以經解經之方式，大概有五端：㈠以比事見義；㈡以筆削示義；㈢以稱謂存義；㈣以常變觀義；㈤以修辭測義；論證如下：

㈠以比事見義

《禮記・經解》稱：「屬辭比事，《春秋》之教也。」連屬前後之文辭，以比觀相類相反之史事，由於文脈貫串，故彼此相形，而得失見；前後相絜，而是非明；回互激射，而微言大義昭然若揭。《春秋孔義》書中，運用比類其事，合察其辭以見義者，凡十五例，此眞「以經解經」之法也。如：

莊公三十一年《春秋經》記載：「春，築臺於郎」；「夏四月……築臺於薛」；「秋，築臺於秦」，前後對看，一年而三築臺，則徭役煩興可知（《春秋孔義》卷三）。又如魯莊公薨於三十二年八月癸亥，《春秋》經接書「冬十月己未，子般卒，公子慶父如齊」；又於閔公元年夏六月始書「葬我君莊公」，高氏前後比觀，於是斷定子般弑君，慶父又殺子般而亡，亂臣賊子未討，《春秋》例不書葬，故莊公薨十一月而始葬（卷三、卷四）。又如文公十八年《春秋》書曰：「六月癸酉葬我君文公。秋，公子遂叔孫得臣如齊。冬十月，子卒，夫人姜氏歸于齊。」《孔義》以爲：「上書大夫並使，下書夫人歸齊，中日子卒，故《春秋》屬辭比事而義見」（卷六）；前後事跡串連合觀，則如齊之二大夫殺嫡立庶，實受敬嬴宣公指使，可以考見。其他，高氏探求聖經之義，據比事以見義者尙多，詳下文《春秋》書法一節。

(二)以筆削示義

《史記・孔子世家》稱：孔子爲《春秋》，「筆則筆，削則削，游夏之徒不能贊一辭。」《春秋》推見至隱，孔子假筆削以明大義，立褒貶以見書法。大凡書或不書，言或不言，諱或不諱，多關筆削。顧棟高〈讀春秋偶筆〉論《春秋》：「未有無故而書者也……凡褒貶無關於天下之大故不書」⑭；《

公羊》於筆削倡「常事不書」，《穀梁傳》謂之「恆事不志」，清姚際恆《春秋通論》改爲「小事不書」；《穀梁》所謂「淺事不志」，與《公羊》之「修舊不書」亦近似⑮，皆企圖從筆削見出《春秋》之書法、孔子之褒貶大義來。高氏《春秋孔義》，其「以經解經」之法，亦多藉筆削以示義。如：

莊公元年，春王正月。《孔義》：「繼弒不書即位，先君不以其道終，子不忍即位也。故莊僖閔皆不書。」（卷三）

僖公二十有八年五月癸丑，公會晉侯、齊侯、宋公、蔡侯、鄭侯、衛子、莒子，盟於踐土。《孔義》：「踐土之會，天王下勞晉侯，削而不書，存人道之大倫也。」（卷五）

文公二年三月乙巳，及晉處父盟。《孔義》：「公出不書，反不致盟，不言公處，父不氏，諱與大夫盟也。所恥也，此《春秋》之筆削也。」（卷六）

昭公八年秋，蒐于紅。《孔義》：「蒐非秋事，紅非蒐地，蒐狩不書，違禮後書。」（卷十）

昭公十有一年冬十一月丁酉，楚師滅蔡，執蔡世子友以歸，用之。《孔義》：「《春秋》書滅國，未有如此其暴者：書誘、書殺、書圍、書執、書用，聖人傷中國之微，而荊楚之暴也。」（同上）

定公八年冬，從祀先公，盜竊寶玉大弓。《孔義》：「先王分器，而盜得竊，諸公宮無政也。故失地則諱，失寶玉大弓則書；失之書，得之書，重其事也。」（卷十一）

《春秋》之筆削，以諱書爲大宗，或揚棄事實以爲尊者諱，爲長者諱；或以實代虛，以輕代重，以正代反，詳下文《春秋》書法「諱書」一節。

㈢以稱謂存義

人生而有名，桓公六年《左傳》所謂「名有五，有信、有義、有象、有假、有類」者是；名字能體現時代性、地域性、風俗性、傳承性、倫理性⑯，卻無法標識其社會地位與人際關係。能代表人的社會地位和人際關係的符號是稱謂，而不是名字。因此，稱謂具有顯著的現實意義。前賢論《春秋》書法者，有以名稱爵號爲褒貶之說⑰：稱親爲褒，去親爲貶；名官爲褒，舍官爲貶；書族爲褒，棄族爲貶，成公十四年《左傳》君子所謂「《春秋》之稱，微而顯，志而晦，婉而成章」，當包括稱謂在內。高氏《孔義》承《左》《公》《穀》及胡傳之說，亦多假稱謂見褒貶，如：

隱公七年夏，齊侯使其弟年來聘。《孔義》引程子曰：「凡不稱公子而稱弟者，或責其失兄弟之義，或罪其以弟之愛而寵任之過。」（卷一）

莊公二十有七年冬，莒慶來逆叔姬。《孔義》：「莒慶，莒大夫也；叔姬，莊公女也。何以稱字？大夫自逆則稱字，爲其君逆則稱女，尊卑之別也。大夫越境逆女，非禮也；諸侯嫁女於大夫，必使大夫同姓者主之，而公自主之，非禮也。」（卷三）

襄公八年夏，季孫宿會晉侯、鄭伯、齊人、宋人、衛人、邾人于邢丘。《孔義》：「命朝聘之數，故公在而大夫會，非正也。不書季孫，則疑於諸侯國之微者；書季孫，而人諸侯之大

夫，所以嚴君臣之分，謹上下之交，而革伯者苟且之政也。」（卷九）

定公四年秋，葬劉文公。《孔義》：「天子三公稱公，魯爲三公，有土爲畿內諸侯者亦稱公。天子卿大夫有封爲畿內諸侯皆曰子，周末畿內諸侯卒皆謚公。聖人因劉文公之葬特書志僭；生稱劉子，卒稱劉卷，葬稱劉文公，皆《春秋》謹嚴之筆也。」

(四)以常變觀義

《易》義有常有變，《春秋》之義亦有正變，《穀梁傳》最重之，有所謂明正、復正、變之正者。柳詒徵《國史要義．史義第七》稱：凡種種不正之事，《穀梁》均以其文之變者示其正義；《左氏傳》則兩舉《春秋》之稱，亦以言其變義；《公羊傳》言異辭同辭，尤以見其變義⑱。高氏《春秋孔義》斟酌於《三傳》，故往往因變文以示義，或有得於趙汸《春秋屬辭》筆削之例⑲。如：

桓公四年冬，有年。《孔義》：「十二公多歷年所，豈無豐年？而獨桓書有年，宣書大有年，何也？桓弒君而立，宣爲弒君者所立，皆獲罪于天，宜得水旱凶災，而乃有年，是反常也，故紀其異。」

莊公二十有三年夏，公及齊侯遇于穀，蕭叔朝公。《孔義》：「蕭叔，宋附庸；書朝公，公在外也；於外，非正也。」

文公十有八年春王二月丁丑，公薨于臺下。《孔義》：「臺下，非正也。」

昭公十有三年夏四月，楚公子比……弒其君虔于乾谿，楚公子棄疾殺公子比。《孔義》引季本《春秋私考》：「比若實弒君，則不當仍書公子棄疾；若眞討賊，則不當書人；楚國若實君比，則不當不書其君。書公子，則比異于州吁、無知；不書人，則棄疾異於石碏、雍廩；不書其君，則楚人視比異於商人、蔡般，此《春秋》變文也。」（卷十）

哀公四年春王二月庚戌，盜殺蔡侯申。《孔義》：「昭公背楚誑吳，殘虐大臣，君道亡矣，變文書盜殺。」（卷十二）

(五)以修辭測義

錢鍾書先生研究《左》《穀》，曾言：「昔人所謂《春秋》書法，正即修詞之朔，而今之考論者忽焉。」又云：「《春秋》之書法，實即文章之修詞」⑳，此說一出，眞能新天下之耳目！持以推敲《春秋》書法，或史書筆法，果然一語破的。如前所述比事、筆削、稱謂、常變諸法，若持今之修辭學論之，無不渙然冰釋者。《春秋》以正名定物爲要，故《三傳》釋經，亦多謹於名物訓詁。其中之正名，即是修辭學之範疇。《春秋》有貴賤不嫌同號，美惡不嫌同辭；有辭同而義同者，有辭同而義異者，亦多關涉修辭。高氏《孔義》之言書法，亦多有之，如：

隱公四年春二月戊申，衛州吁弒其君完。《孔義》：「不稱公子，身爲大惡，絕之於其先君也。其又有以屬稱者，或過其親之以啓亂，或見其以親而反讐，事同詞異，各有義而不可例拘也。」（卷一）

桓公元年春王正月，公即位。《孔義》：「繼故不言即位，先君不以其道終，子弟不忍即

位也。繼故而言即位，則弑也。故美惡不嫌同辭。」（卷二）

莊公元年三月，夫人孫于齊。《孔義》：「不稱姜氏，魯之臣子絕不爲親也。內諱奔，故云孫，猶言孫讓而去也。見無所容而絕之，至矣。」（卷二）

僖公五年夏，公及齊侯、宋公……會王世子于首止；秋八月，諸侯盟于首止。《孔義》引胡安國說曰：「無中事復舉諸侯會盟，同地再言首止，書之重，詞之複，其中必有大美惡焉。首止之盟，美之大者也。」（卷五）

僖公二十有八年冬，晉人執衛侯，歸之于京師。《孔義》：「歸于者，急辭，罪未定也；歸之于者，緩辭，罪已定也。」（卷五）

文公十有八年冬，莒弑其君庶其。《孔義》：「稱國以弑者，眾弑君之辭。」（卷六）

昭公二十有三年秋七月戊辰，胡子髡沈子逞滅獲陳夏齧。《孔義》：「其言滅獲何？別君臣也。君死曰滅，生得曰獲，大夫生死皆曰獲，此見吳之強，而楚人益弱也。」（卷十）

定公元年冬十月，隕霜殺菽。《孔義》引《穀梁》曰：「舉重也。未可以殺而殺，舉重；可殺而不殺，舉輕。」（卷十一）

定公十年夏，晉趙鞅帥師圍衛；《孔義》：「晉自召陵以後，凡兵書「侵」，以義不足服人也；此書「圍」，以力不足服人也。」（卷十一）

定公十年夏，齊人來歸鄆讙龜陰田。《孔義》：「請而得之曰歸，服義而歸之曰來歸。」

（卷十一）

哀公三年秋，蔡人放其大夫公孫獵于吳。《孔義》：「放，稱國，無罪也；稱人，得罪於國人，有罪也。書大夫，則無罪也。」（卷十二）

哀公十年春王正月，邾子益來奔；《孔義》：「但書奔何以爲？自失國也。《春秋》之法，苟其道足以失國，雖有敵國，猶以自致之文書。」（卷十二）

上文所謂事同詞異、書重詞複、急辭緩辭、舉重舉輕，固是「其文則史」之修辭手法，書伐、書侵、書圍、書奔，亦有微言大義；而界定孫、放、國弒、滅獲、來歸之意蘊以定褒貶，因愼選精用詞語而正名物，亦修辭之效能。其他，《春秋》書及、以、至、入、敗、戰、克、取、侵、伐、潰、亡、卒、敗績、遂、次、執、奔、如、盜等字，亦多有所褒諱損益，所謂「《春秋》謹嚴」也。

由此可見，《提要》稱《孔義》「以經解經」，大抵不出《四傳》及唐宋《春秋》學家解經之模式，特多少有所發明而已。

三、據傳求經——「外證法」的解經方式

三傳之釋《春秋》，皆有所得，並有所失：於經義雖多所發明，然經旨之大全，聖人之大體，卻「各爲其所欲焉，以自爲方」，不該不徧。於是啖助、趙匡、孫復、劉敞諸家雜採三傳，而不盡信三傳，誠如《四庫全書總目提要》所云：「名爲棄傳從經，所棄者特《左氏》事跡，《公羊》《穀梁》

月日例耳。其推闡譏貶，少可多否，實陰本《公羊》《穀梁》法，猶誅鄧析用竹刑也。夫刪除事跡，何由知其是非？無案而斷，是《春秋》爲射覆矣」[21]；高氏《春秋孔義》，作於《五經大全》盡棄漢唐經說，心學家糟粕《六經》，反對知識之後[22]，順應晚明經學之復興運動，於是漢宋兼治，棄短取長，解經乃會通《四傳》，雜采諸家。元黃澤治《春秋》，衍宋代程頤、蘇轍、胡安國會通之緒，提倡「以經證傳，亦復以傳證經，展轉相證，此爲說《春秋》要法」[23]；高氏《春秋孔義》解經，大抵亦參用此法：事據《左氏》，義採《公羊》《穀梁》《胡傳》及宋人經說，元明經說亦偶爾採據之。高世泰序《春秋孔義》稱其「權衡四傳，悉稟尼山」；《四庫提要》本之，謂其「斟酌於《左氏》、《公羊》、《穀梁》、胡安國四家之傳，無所考證，亦無所穿鑿，意主於以經解經。」；指涉不夠明確，論述似是而非。其實，《春秋孔義》之解經方式，除恪守「以經解經」外，尚有「據傳求經」之法，或斟酌四傳，折衷諸家；或辨疑考證，推求孔義，論述於下：

(一)斟酌四傳，折衷諸家

元吳澄序俞皐《春秋集傳釋義大成》，稱其《三傳》之外，「兼列胡氏，以從時尚」，自是有《四傳》之名。其後元代之《春秋》學於《三傳》外，多權衡胡安國《春秋傳》，如程端學《春秋本義》，不信《三傳》，亦頗糾正胡《傳》；王元杰《春秋讞義》，亦刪掇胡《傳》，以盡其意；李廉《春秋諸傳會通》，次《左》《公》《穀》，而總之以《胡氏》；汪克寬《春秋胡傳附錄纂疏》，「備列經文同異，可求聖筆之真；益以諸家之說，而裨胡氏之闕疑；附以辨疑權衡，而知三傳之得失。然其大旨，終以胡《傳》爲宗」，於是延祐二年定經義經疑取士條格：「《春秋》用《三傳》及胡安國《傳》」；永樂中胡廣等奉敕撰《春秋大全》，竟全襲汪氏《春秋胡傳纂疏》，而稍作點竄。其後，陸粲《春秋胡氏傳辨疑》，主於信經而不信例，其書先列胡《傳》於前，而以己說糾正於後；王樵《春秋輯傳》，以朱子爲宗，博采諸家，附以論斷；姜寶《春秋事義全考》，以胡《傳》爲主，而亦頗參以己意；楊于庭《春秋質疑》，以胡《傳》爲主，於《左氏》《公》《穀》，或採或駁㉔。由此觀之，明初以來之說《春秋》者，其風氣可知矣：大抵參酌《四傳》，博采諸家；信經疑傳，發明己意。高氏《春秋孔義》作於其間，自然受此學風之習染。

高氏徵引《春秋》家說，明引者，《左傳》五十七則，《穀梁》十九則，《公羊》十一則，胡《傳》十二例，其餘暗用《四傳》者，約在四十例以上；明引程子等其他宋代諸家者八〇例，宋以前經說十六見，其餘暗用、化用、翻用者，更不知凡幾；其取證經典，不「以意說經」可知。《高子遺書》卷九上，〈無錫縣學筆記序〉云：「今則傳註廢，而士之說經以意矣！說經以意，無不可行意也。」高氏對於「以意說經」之宋學風氣很不以爲然，由此可見。故說《春秋》乃斟酌四傳，折衷諸家。其徵引所及，大要有五：

1.徵引《左傳》者

明引《左傳》之事跡與義例者，卷一，三則；卷二，一〇則；卷三，六則；卷五，十四則；卷六，二則；卷七，四則；卷八，六則；卷九，七則；卷十，四則；卷十一，一則，凡五七則；或採或駁，而採取多於駁斥；信據事跡更遠勝於援用《左傳》之義例，昌言會通者大率如此。蓋事外無理，理在事中。《提要》所謂：「刪除事跡，何由知其是非？無案而斷，是《春秋》爲射覆矣。」可謂顛撲不破之論！事據《左傳》，更見於《孔義》暗用《左氏》之傳文中，就襄公以前舉例如下：

隱公元年，春王正月。《孔義》：「不書即位，攝也。」（卷一）案：並未明說出於《左傳》，以下同。

隱公五年春，公觀魚于棠。《孔義》：「僖伯稱疾不從。」（同上）

桓公五年秋，蔡人、衛人、陳人從王伐鄭。《孔義》：「王奪鄭伯政，鄭伯不朝。王以諸侯伐之，戰于繻葛。王卒大敗，鄭師射王中肩。」（卷二）

莊公八年冬十有一月癸未，齊無知弒其君諸兒。《孔義》：「僖公之母弟曰夷仲年，生公孫無知。有寵于僖公，衣服禮秩如適。」（卷三）

莊公十有二年秋八月甲午，宋萬弒其君捷及其大夫仇牧。《孔義》：「萬，宋之有力人也。乘丘之戰，被獲于魯，歸乃以爲大夫，而又靳之，又與之搏……」（同上）

閔公二年十有二月，狄入衛。《孔義》：「衛自惠公即位，宣姜淫恣，失人心久矣；重以懿公好鶴，亡形已具。」（卷四）案：以上敘事皆本《左傳》。

僖公二十有八年春三月丙午，晉侯入曹，執曹伯，畀宋人。《孔義》：「晉侯加兵曹衛……先假衛道……衛人不許，然後略侵曹境……遂移師伐衛，請盟不許……衛君出避……楚既救衛，又移師臨曹，執其君，分其田，以畀宋……及子玉請復衛封曹，以釋宋圍，則又許復二國以攜之，執宛春以怒之，避三舍以誘之……」（卷五）

文公七年戊子，晉人及秦人戰于令狐，晉先蔑奔秦。九年三月，晉人殺其大夫士穀及箕鄭父；十有七年夏四月癸亥，葬我小君聲姜。（《孔義》卷六，三例所據文字，或節略《左傳》事跡，或摘取片段義例。）

《春秋孔義》於襄公以後暗用《左傳》，實未標明出處依據者，情形亦大同小異，此殆明人著書陋習，此不再贅。

2.徵引《穀梁》者

《春秋孔義》明引《穀梁》傳者，共十九則：卷一，一則；卷二，七則；卷三，四則；卷五、卷九各二則；卷七、卷八、卷十一，各一則。大要皆取《穀梁》之微言大義。

《春秋孔義》暗用《穀梁》義者，以僖公為例：

僖公十有九年冬，梁亡。《孔義》：「秦滅也，而書自亡，何也？湎於酒，淫於色，心昏耳目塞，上無正長之治，大臣背叛，民為寇盜，加以力役焉，魚爛而亡也。」（卷五）案：「湎於酒」以下六句，全襲《穀梁傳》原文。

僖公二十一年冬，楚人使宜申來獻捷。《孔義》：「不曰宋，不與楚捷於宋也。」（同上）案：文字亦全襲《穀梁》。

僖公二十有七年冬，楚人、陳侯、蔡侯、鄭伯、許男圍宋。《孔義》：「楚人，楚子也。稱人，貶也。人楚子，所以人諸侯也，惡其信夷狄而伐中國也。」（同上）案：此亦因襲《穀梁》而未稍變。

僖公三十年秋，衛殺其大夫元咺。《孔義》：「稱國以殺，罪累上也。」（同上）案：此亦《穀梁》義及文字。

3. 徵引《公羊》者

《孔義》明引《公羊》義例，襲用其文字者凡十一例：卷二，五例；卷三，二例；卷五，二例；卷六、卷九各一例。至於暗用《公羊》義例者，當較多，茲以僖公以前爲例，如：

隱公元年三月，公及邾儀父盟於蔑。《孔義》：「我所欲曰及。」（卷一）案：此義例文字，只見於《公羊》，下同。

莊公元年春，王正月。《孔義》：「繼弒不書即位，先君不以其道終，子不忍即位也。」（卷三）案：二三句爲《公羊》原文。

僖公十有九年冬，梁亡。《孔義》：「魚爛而亡也。」（卷五）案：此亦《公羊》原文。

僖公二十年春，新作南門。《孔義》：「門有古常，言新有故也。」（同上）案：上句用《公羊》義，下句採《穀梁》義。

僖公二十有八年冬，天王狩于河陽。《孔義》：「狩不書，此何以書？不與再致天子也。

爲若將狩而遇諸侯之朝也，爲王諱也。」（同上）案：前三句，用《公羊》文字；後二句，用《穀梁》文字，然皆未明說。

僖公三十有一年夏四月，四卜郊。《孔義》：「魯郊，非禮也；夏四月，非時也；四卜，非禮也。」（同上）案：「非禮也」二論，《公羊》原文；「非時也」二句，《穀梁》原文，亦未明示。

4.徵引胡安國《春秋傳》者

《孔義》中明引胡安國《春秋傳》者共十二則：卷二、卷三，各四則；卷四、卷五、卷八、卷十一，各一則，多采其義例。然暗用胡《傳》，卻未明言者尤多，以莊公以前之《孔義》爲例，至少有以下七例：

桓公二年夏四月，取郜大鼎于宋；戊申，納于太廟。《孔義》：「取者，得非其有之稱。」（卷二）案：此八字，見胡《傳》卷四（《四部叢刊續編》，頁四）。

莊公六年秋，公至自伐衛。《孔義》：「入有二義：難詞也，逆詞也。……衛朔書名書入以著其惡，王人書字書救以著其善，外則諸侯書人，內則莊公書至，而《春秋》之情見矣。」（卷三）案：以上文字，完全因襲胡《傳》卷七，頁六。

莊公十年春王正月，公敗齊師于長勺。《孔義》：「詐戰曰敗，敗之者爲主……善爲國者不師，善師者不陣，善陣者不戰。」（卷三）案：以上文字，完全襲用胡《傳》卷八，頁二。

秋九月，荆敗蔡師于莘，以蔡侯獻舞歸。《孔義》：「蔡侯何以名？絕之也。爲其服于臣虜也。」案：以上文字亦因襲胡《傳》卷八，頁三。

莊公十有九年秋，公子結媵陳人之婦于鄄，遂及齊侯宋公盟。《孔義》：「媵，禮之輕也；盟，國之重也。以輕事遂重事，惡之也。」（同上）案：高氏摘取胡《傳》卷八，頁八至九之義，文字稍變。

莊公二十有八年春王三月甲寅，齊人伐衛，衛人及齊人戰，衛人敗績。《孔義》：「戰不言伐而書伐，伐不言日而書日，被伐不言及而書及，敗績不言人而書人，皆罪衛也。」（同上）案：胡《傳》卷九，頁七～八：「《春秋》紀兵，及者爲主……則是衛人爲志乎此戰，故以衛主之也。戰不言伐，伐不言日，而書日者……見齊人奉詞伐罪，方以是日至，而衛人不請其故，直以是日與之戰，所以深疾之。」可見，《孔義》立說取自胡《傳》。

自南宋以來，歷經元、明，胡《傳》之影響《春秋》經說，無論科舉考試，或學人著述，可謂無所不在。承襲者有之，駁正者有之，《孔義》不能不受其薰染。於是援引化用，遂亦不得不多。

5.明引其他諸家經說者

《孔義》除徵引《四傳》較多外，程頤《春秋傳》之援用，亦頗爲可觀：計卷一，六例；卷二，五例；卷三，五例；卷八，二例；卷十二，二例；卷五、卷六、卷十，各一例，共二十三例，皆明標「程子曰」云云。高氏既信胡安國《傳》，而程氏爲安國之老師，爲學又宗主程朱，朱子既無《春秋》學之專著，於是程子未成之書遂奉爲圭臬。所引十七則「程子曰」，皆取其說《春秋》之義。

其他明引諸家經說者，尚有董仲舒《春秋繁露》一見（卷三），司馬遷《史記》一見（卷六），劉向二見（卷二、卷五），何休三見（卷二、卷三、卷十二），杜預六見（卷二，二見；卷三，二見；卷九、卷十各一見），啖助一見（卷二）、趙匡、陸淳各一見（卷二）。之後，引用較多者依次爲明季（本）氏《春秋私考》，凡十見（卷三、卷六、卷十各一見；卷五，三見；卷七，二見；卷九，二見）；其次爲張（洽）氏《春秋集傳》，凡七見《卷三，五則，卷五，二則》；其次爲趙（鵬飛）氏《春秋經筌》，凡六見（卷二、卷三、卷五各三見；卷九一見）；其次爲元汪（克寬）氏《春秋胡傳纂疏》，亦六見（卷二、卷六各一見；卷三、卷十各二見）；其次爲吳氏（孜）《春秋折衷》，凡四見（卷二、卷三、卷五，皆見）；元李氏（廉）《春秋諸傳會通》，凡四見（卷三、卷十，各二見），其次爲宋王氏（晳）《春秋皇綱論》，凡三見（卷三，二見；卷八一見）；其次爲宋劉敞《春秋傳》，凡二見（卷二、卷十二）；又其次爲宋孫復《春秋尊王發微》，亦二見（卷三、卷六）。其他尚引陳氏，二見（卷四、卷十一），胡安定（卷九）、邵寶（卷十）、黃震（卷三）、家氏（卷三）、高氏（卷五）、姜氏（卷三）、歐陽修、朱子（卷十）、胡文定（卷十二）諸家經說。

無論明引或暗用，就行文立說而言，爲訴諸權威之修辭方式，高氏《春秋孔義》繁稱博引既如此之多，則出於一己深思有得，別具隻眼者有幾？頗令人置疑。此或明人著書之陋習。兼採漢宋，會通諸家，其中未嘗沒有可取之處。實則，高氏以兼採與會通爲手段，其極致則在辨疑發明，推求孔義：

㈡辨疑考證，推求孔義

高氏《春秋孔義》之解經，大抵事據《左氏》、義準《公》《穀》胡《傳》，又廣參宋元明儒《春秋》經說，其會通折衷，以求眞解，與宋明學風不異。高氏之考求孔義，有羅列諸家，藉此申義者；亦有博采經解，相互發明者；更有討論經說，辨疑考證者，論述如後：

1.羅列諸家，藉此申義者

桓公八年冬，祭公來，遂逆王后于紀。《孔義》卷二列舉《左氏》、杜氏、程子、胡氏、劉敞、趙鵬飛諸家之說，以申明經義。（頁九～一〇）

桓公十有六年冬十一月，衛侯朔出奔齊。《孔義》卷二：「《左氏》以殺急子聲子也，《公》《穀》以得罪天子也。」案：《孔義》二說並存，未加案斷。（頁十八）

莊公四年夏，紀侯大去其國。《孔義》卷三列舉程子、胡氏、張氏經說，以明經義。（頁十八）

莊公三十年夏，師次于成。《孔義》卷三列舉《穀梁》、杜氏、趙氏、姜氏四家之說，藉以申明經義。（頁二九）

《孔義》中若此類者甚多，「集解」性質而已，於《春秋》經義發明有限。

2.博采經解，相互發明者

桓公二年春王正月戊申，宋督弒其君與夷及其大夫孔父。《孔義》卷二博采《左氏》、《穀梁》、《公羊》之說，轉相發明，以求經義。（頁二一）

桓公十有五年夏五月，鄭伯突出奔蔡。《孔義》卷二列舉《左氏》、陸淳、程子三家之說而發揮之。（頁一六）

桓公十有八年冬十二月己丑，葬我君桓公。《孔義》卷二考求「賊未討，何以書葬」之義，列舉《公羊》、《穀梁》、胡氏三家之經解以對。（頁二〇）

莊公十一年秋，宋大水。《孔義》卷三稱引胡氏、杜氏、張氏經說，相互印證。（頁一二）

僖公五年冬，晉人執虞公。《孔義》卷五備采程子、胡氏、《左氏》之見，其義交相映發。（頁八）

《孔義》中用此法解經者頗多，其法在捨異求同，折衷諸家，不必別生眼目；唯泛覽諸家，取精用宏，仍需獨具隻眼方能有功。

3. 討論經說，考證辨疑

桓公十有三年春二月己已，及齊侯燕人戰，齊師宋師衛師敗績。《孔義》：「《左氏》以爲鄭與宋戰，《公羊》以宋與魯戰，《穀梁》以紀與齊戰；趙匡據經文：內兵主紀而先于鄭，外兵主齊而先于宋，獨取《穀梁》之說。蓋齊合宋衛燕三國伐紀，魯則紀其自出求兵于鄭往救之，戰于紀而勝之也。胡氏曰：紀之不能保其國，自此戰始矣。」（卷二）案：《三傳》大義不同，高氏引趙匡說而取《穀梁》之見，且補苴其義。如此解經，裁判是非曲直，斷以己意，往往頗具卓識。

莊公九年夏，公伐齊納糾，齊小白入于齊。《孔義》：「《左傳》書納子糾，《公》《穀》書納糾，杜氏注子糾小白，皆僖公庶子，而糾長；荀卿亦謂桓公殺兄以爭國，獨《史記》……曰齊桓殺其弟以反國，程子取此以證子糾之爲弟，未知誰是。今以《公》《穀》爲據，糾不書子，小白繫齊，又參以夫子答子路子貢之言，不責管仲之忘君事讐，則其長幼是非見矣。」（卷三）案：高氏考證，討論衆說，案以己見，以爲糾爲弟，小白爲兄，故「糾不書子，小白繫齊」，可謂有徵足信。《提要》稱《孔義》「無所考證」，不盡然也。

僖公八年冬十有二月丁未，天王崩。《孔義》引趙氏（鵬飛）說駁《左氏》，謂「定位而後發喪，據此則正月二月位已定，何至十二月而後告喪諸侯乎？《左氏》殆不足憑也。」於是援引吳氏說，謂「惠王前年冬有疾，而今年冬乃崩者近之」，考證辨疑，頗可信據。

成公八年夏，晉殺其大夫趙同趙括。《孔義》先據《左傳》敘事，而論斷「同括無罪，而晉失政刑」。進而討論《左傳》《史記》於此事件所載不同，引王氏《經世》以爲佐證，斷定《左》《史》所載爲兩事誤合爲一。

襄公七年十有二月，鄭伯髡頑如會，未見諸侯。丙戌，卒于鄵。《孔傳》討論鄭僖公之卒，《三傳》皆以爲弒，而《春秋》獨書卒之故：「《左》則曰：以瘧疾赴也；《公羊》則曰：爲中國諱也；《穀梁》則曰：不使夷狄之民，加乎中國之君也；趙鵬飛氏、季本氏以爲：本未嘗弒也；豈當時事有難明，賊有所歸，有不得不從赴告之文者乎？」（卷九）案：高氏備舉五家之論外，別立「從赴告之文」一說，亦有可取。

昭公元年冬十有一月己酉，楚子麇卒；《孔義》：「按《左氏》：公子圍……入問王疾，縊而殺之……而自立。經書楚子麇卒，或曰：從其僞赴也；則《春秋》何以傳信乎？或曰：以申之會，爲中國諱也；則弒賊不討，如成宋亂、宋災，故聖人明著其罪，而又何以諱爲？或曰：麇以病卒，實非弒也；則椒舉之言，慶封之對，當時皆彰彰人之耳目，豈其盡妄乎？竊以楚國既無齊晉之太史，列國冊書皆承其僞赴，謂聖人因魯史舊文，其說爲長，不必更鑿也。」（卷十）駁斥僞赴、諱書、病卒諸說，而以「魯史舊文」爲解，又考證之一例。

昭公十有九年夏五月戊辰，許世子止弒其君買。《孔義》卷十先據《左傳》敘事始末，推斷世子止故意藥殺其君。又引朱子、歐陽公、季氏《私考》、《西亭辨疑》，進一步確定世子止「用毒藥弒」。考證不厭其煩，此與明季李可灼進「紅丸」藥弒光宗近似，故華允成《年譜》述先生稱此案，謂「此一部《春秋》也！」自是有感之論。

哀公十有四年春，西狩獲麟。《孔義》：「杜元凱謂《春秋》感麟而作，諸家因之；胡文定謂：《春秋》文成麟至，則本之何休。程子曰：述作之意舊矣，但因麟而發；麟不出，《春秋》亦必作也。故謂聖人感麟始成《春秋》，則可；謂感麟始作《春秋》，則不可。」（卷十二）高氏論說，折衷諸家之見，此又一例。

外此，高氏《孔義》駁斥《左傳》記事誤謬處，大多衡情度理，頗乏事據。唯卷七，「聖人以歸生爲首惡」義，「歸生謀之於公，欲以晉人去三桓」義，頗可聊備一說。

要之，高氏《春秋孔義》於討論經說，考證辨疑，最具價值：諸家《春秋》經說有齟齬牽強處、偏離孔經處，或據《左傳》之敘事指瑕，或準《四傳》之義理導正，或依各家經說發明，或憑別識心裁斷讞；其解經之方式，爲宋儒「會通」說之賡續發揚；身爲理學家而作《春秋孔義》，注重聞見之知，則爲羅整庵（欽順）主張：性、理、心、命，當「取證於經書」之具體實踐。

四、結　論

高攀龍治學，主張「不任聞見，不廢聞見」。故抨擊宋元以來近儒，炫新愛奇，以意說經，於是《孔義》解經，兼採漢、宋，折衷諸家，斟酌四傳，歸於至當；據此以經解經、據傳求經。東林講學對世道人心既有觸發，晚明學風乃爲之一變。此種解經方式，對於清代經學，尤其是《春秋》學，自有深遠影響。從可證劉師培、章炳麟之推崇明人經學，自有據依與見地。

《春秋》書成之後，其中褒諱抑損之究竟，由於「推見至隱」的緣故，未能以書見，於是《左傳》以史傳經，《公》《穀》以義傳經，晉唐宋元之經解傳註，亦風起雲湧，家自爲說，皆以爲能窺聖心。漢宋明人經說，既有得並有所失，故高氏《春秋孔義》解經，除標榜「以經解經」外，斟酌四傳，折衷諸家；辨疑發明，推求孔義之「據傳求經」方式，亦爲高氏所慣用。

《四庫全書總目》稱《春秋孔義》：「是書斟酌於《左氏》、《公羊》、《穀梁》、胡安國四家之傳，無所考證，亦無所穿鑿。」今研讀《春秋孔義》一書，以檢驗《總目》之論，知《總目》所言，不夠精確，且不該不偏，因論證如上。

【附註】

① 《明史》卷二八二，〈儒林傳〉：《四庫提要》卷五，〈易義古象通〉；皮錫瑞《經學歷史》〈經學積衰時代〉（臺北：藝文印書館，一九八七年十月），頁三一〇。焦循《雕菰樓集》卷十二，〈國史儒林文苑傳序〉；閻若璩《潛邱箚記》卷二，亦論及明人經學之衰落。

② 劉師培《國學發微》述「明人之學，近人多議其空疏」，列舉艾千子、孟瓶菴、錢大昕、阮芸臺、江鄭堂諸家之說，進而宣稱：「明人經學之弊，在于輯《五經四書大全》，頒爲功令，所奉者宋儒一家之學，故古誼淪亡。然明儒經學亦多可觀。」乃舉十端以證，見《劉申叔先生遺書》第一冊（臺北：華世出版社，一九七五年四月），頁五九六—五九七。章炳麟〈說林〉，載《章氏遺書》下冊，《太炎文錄初編》卷一（臺北：世界書局，一九五八年七月），頁一一七。

③ 參看林慶彰、蔣秋華主編《明代經學國際研討會論文集》，（臺北：中央研究院中國文哲研究所，一九九六年六月），頁一—六二六。

④ 文見華允誠《高忠憲公年譜》頁一四，〈甲辰四十三歲，東林書院成〉條，中央圖書館藏清光緒二年江蘇書局刊本。《高子遺書》十二卷〈附錄〉。

⑤ 同上註，頁一八—一九。此所謂「紅丸案」，指萬曆四十八年，神宗卒，光宗即位，鄭貴妃進美女四人，光

宗患病，內醫進瀉藥，李可灼連進二紅丸診治，光宗隨之去世事。當時中外洶洶，咸以爲中有情弊；但首輔方從哲卻擬旨賞賜可灼銀五十兩。於是議論蜂起，指責方從哲曲庇，崔文昇殺君，且語涉鄭貴妃。高攀龍《高子遺書》卷八下，〈與王東里黃門〉，對此案之曲直有所論述，《四庫全書》本（臺北：商務印書館），第一二九二冊，頁五一五。

⑥「紅丸」案，與「梃擊」案、「移宮」案，合稱明代晚期宮廷三案，參考《中國大百科全書，中國歷史》第二冊（北京：中國大百科全書出版社，一九九二年四月），頁八六五。

⑦參考同④，又，黃宗羲《明儒學案》卷五十八，〈東林學案〉——（臺北：河洛圖書出版社，一九七四年十二月），頁六七。

⑧上列論述，爲拙作〈高攀龍《春秋孔義》初探——以「取義」爲例〉結論之一部分，詳參同註③，頁四三一—四六一。

⑨參考拙作〈黃譯論《春秋》書法——《春秋師說》初探〉，「研治《春秋》，魯史書法與聖人書法應相濟並用」，元代經學國際研討會論文，臺北南港：中央研究院中國文哲研究所，一九九八年十二月，頁一三一—二〇。

⑩姚際恆《春秋通論・序》，林慶彰主編《姚際恆著作集》第四冊，（臺北：中央研究院中國文哲研究所，一九九四年六月），頁六。

⑪啖助《春秋集傳・序》，馬國翰《玉函山房輯佚書》。

⑫ 皮錫瑞《經學歷史》〈經學變古時代〉：「宋人治《春秋》者多，而不治顓門，皆沿唐人啖、趙、陸一派」（臺北：藝文印書館），頁二七二。參考劉乾〈論啖助學派〉，原載《西南師範學院學報》一九八四年一期，其後輯入林慶彰主編《中國經學史論文選集》上冊，（臺北：文史哲出版社，一九九二年十月）；劉光裕〈唐代經學中的新思潮〉，《南京大學學報》一九九〇年一期。

⑬ 參考林慶彰《明代經學研究論集》，〈晚明經學的復興運動〉，頁一三三—一三四。

⑭ 顧棟高《春秋大事表．讀春秋偶筆》（臺北：鼎文出版社，一九七四年十月），頁九。

⑮ 姚際恆語，見《春秋通論》卷前〈春秋論旨〉，同註⑩，頁五；參考柳詒徵《國史要義．史識第六》（臺北：中華書局，一九七三年十一月），頁一一一—一一七。

⑯ 參考王泉根《華夏姓名面面觀》第二輯〈取名種種〉（廣西人民出版社，一九八八年五月），頁八九—一一七。

⑰ 參考戴君仁《春秋辨例》第九章〈三傳名氏稱謂例〉；第十章〈結論〉（臺北：中華叢書編審委員會，一九六四年十月），頁一一一—一三一；一三八—一四二。

⑱ 參考同註⑮，柳詒徵書頁一三七—一四二。

⑲ 趙汸《春秋屬辭》十五卷，《四庫全書》經部《春秋》類三，悟《春秋》之義在於比事屬辭，因推筆削之旨，其例凡八，三曰變文以示義。參考同註⑨，「一、趙汸《春秋師說》與黃譯之《春秋》學」，頁一—六。

⑳ 錢鍾書《管錐編》第一冊，〈左傳閔公元年〉；第三冊，〈全漢文卷一〉（臺北：書林出版公司，一九九〇

年九月），頁一八〇、頁九六七。

㉑《四庫全書總目》卷二十六，〈經部・春秋類一，總序〉（臺北：藝文印書館，一九七四年十月），頁五三六。

㉒參考同註⑬，頁八五，《五經四書大全》給經學的不良影響；頁八七，陳獻章、王守仁對經驗知識的反對。

㉓參考同上註，頁九四—一〇〇，〈四、揚漢抑宋和漢宋兼採〉；程頤《春秋傳》：「以傳考經之事跡，以經別傳之眞僞」；蘇轍《春秋說》：「只據《左氏》事實，而參以《公》《穀》大義」；胡安國《春秋傳・序》：「以傳考經之事跡，以經別傳之眞僞」，有關宋元以來，主張三傳會通的原委，可參拙作《左傳導讀》第二章第二節〈三傳會通議〉（臺北：文史哲出版社，一九八七年八月），頁二四—二六。

㉔元代《春秋》學與胡《傳》之關係，參考《四庫全書總目》卷二十八，〈經部・春秋類三〉，頁五七一—五八八。

焦循手批《春秋公羊傳註疏》釋文校案

賴貴三

提要

本文係筆者系列鈔讀校釋焦循手批《十三經註疏》之一，也是焦循唯一傳世的《春秋公羊傳》研究資料，可與其《左傳》手批資料比而觀之，若再輔以手著《左傳補疏》，可以清晰呈現焦氏《春秋》學的全般樣貌。筆者透過鈔釋，完整記錄焦循手批原稿，除了保存經學文獻的基本價值外，更可透過此份資料，具體瞭解焦循研治《公羊傳》的入手進路，充分展現乾嘉樸學重考據、尚實證的學術風範。手稿中，焦循大量運用《五經異義》及《九經古義》考證成果，可與阮元《春秋公羊傳注疏校勘記》對勘，具有匡補闕遺的作用，並提供檢證的準據，可提供為清代「公羊學」研究的參考文獻。

關鍵字：焦循　春秋公羊傳註疏　乾嘉樸學　九經古義

清儒焦循里堂先生（1763~1820）手批明毛晉汲古閣本《十三經註疏》，爲中央研究院史語所傳斯年圖書館典藏珍本圖書，具有一定的文獻研究價值。此篇爲焦循經學論著中，唯一有關《公羊傳》的學術資料，雖然是不成系統的手批原稿，經由釋讀整理，也可以獲得相當的考據成果。

全書八冊，共一函，典藏編號：第1303架，第16函，第93冊（178251號）至100冊（178258號），第八冊卷末白文黑底小篆牌記作：「皇明崇禎七年歲在閼逢閹茂古虞毛氏繡鐫」，可知此書鐫刻於明思宗崇禎七年甲戌（1634）。各冊卷首皆鈐有「恨不十年讀書」（長方陽文篆印）、「東方文化事業總委員會所藏圖書印」（正方陽文篆印）、「史語所收藏珍本圖書記」（長方陽文篆印）及「傅斯年圖書館」（長方陽文篆印）四方印記；各冊卷末亦均鈐記「東方文化事業總委員會所藏圖書印」（正方陰文篆印）及「史語所收藏珍本圖書記」（長方陽文篆印）二方。

第十七函《春秋穀梁傳註疏》，共六冊，一〇一冊（178259號）至一〇六冊（178264號），全書無圈點眉批，亦未鈐有焦循「恨不十年讀書」等印記，卷首、尾只鈐記典藏單位印記同前。這是焦循手批《十三經註疏》中，唯一未有識讀眉批的經書，附記於此，以爲存證。

掾　漢何休學

漢司空掾任城樊何休序○陸氏音義曰掾弋絹反疏漢[illegible]

者巴漢之閒地名也於秦二世元年諸[illegible]

人共立劉季以爲沛公二年八月沛公入秦秦相

趙高殺二世立二世兄子子嬰冬十月爲漢元年

子嬰降其年春正月項羽會諸侯王以爲義帝其

年二月項羽自立爲西楚霸王分天下爲十八國

更立沛公爲漢王王巴漢之閒四十一縣都於南

鄭至漢王五年冬十二月乃破項羽軍斬之六年

正月乃稱皇帝遂取漢爲天下號若夏殷周既克

天下乃取本受命之地爲天下號云司空者漢三

公官名也掾者即其下屬官也若今之三府掾是

也○任城樊何休序○解云任城者郡名樊者縣

名姓何名休字邵公其本傳云休爲人質朴訥口

何休文謚例云此春秋五始三科九旨七等六輔二類之義以矯枉撥亂爲受命品道之端正德之紀也
又五始者元年春王正月公即位是也七等者州國氏人名字子是也六輔者公輔天子卿輔公大夫輔卿士輔大夫京師輔君諸夏輔京師是也二類者人事與災異是也

公羊疏 卷之一 汲古閣

鈇也僖五年晉侯殺其世子申生襄二十六年宋公殺其世子痤殘虐枉殺其子是爲父之道鈇也文二年楚世子商臣弒其君髡襄三十年蔡世子般弑其君固是爲子之道鈇也桓八年正月巳卯烝桓十四年八月乙亥嘗僖三十一年夏四月四卜郊不從乃免牲猶三望郊祀不修周公之禮鈇是爲七鈇也矣

元年、春王正月。○正月音征又音政後放此

疏 元年春王正月○解云、若左氏之義不問天子諸侯皆得稱元年。若公羊之義唯天子乃得稱元年。諸侯不得稱元年。此魯隱公諸侯也而得稱元年者春秋託王於魯以隱公爲受命之王故得稱元年矣

傳 元年者何

注 諸據疑問所不知故曰者何

疏 元年者何○解云凡諸侯不得稱元年今隱公爵猶自稱侯而反稱元年故執不知問○注 諸據至者何○解云謂諸據有疑理而問所不知者曰者何即僖五年

說文解字一部元始也从一从兀

帝是孔子亦愛慕堯舜之知君子而効之制春秋之義以俟後聖注待聖漢之王以爲法疏制春至後聖○解云制作春秋之義謂制春秋之中賞善罰惡之書也以君子之爲亦有樂乎此也注樂其貫於百王而不滅名與日月並行而不息疏以君至此也○解云君子謂孔子所以作春秋者亦樂此春秋之道可以永法故也○注樂其至不息○解云春秋者賞善罰惡之書有國家者最所急務是以貫通於百王而不滅絕矣故孔子爲後王作之云名與日月並行而不息者謂名之曰春秋其合於天地之利生成萬物之義凡爲君者不得不爾故曰名與日月並行而不息也

皇明崇禎十年歲在彊圉[illegible]毛氏[illegible]

春秋公羊註疏哀公卷第二十八

以下僅就全書卷次，逐一鈔釋，並就阮元《春秋公羊傳註疏校勘記》爲版本資料互讎的依據，校其異同。限於篇幅，未能充分論證，謹具體呈現原貌，以備考覈而已。

一、《春秋公羊傳註疏·序》（以下第一冊）：

㈠「漢司空掾任城樊何休序」（頁一）：

案：「椽」字，焦循墨改爲「掾」字爲正。阮元《春秋公羊傳註疏校勘記》云：「……掾字從手。《釋文》、《唐石經》、何校本並同；閩、監、毛本改從木旁，非；疏中同。」

㈡焦批：「王應麟云：漢儒以緯書孔氏所作。」（頁一「昔者孔子有云，吾志在《春秋》，行在《孝經》。」）

案：王應麟之説見於《困學紀聞》，序文所云見緯書《孝經鉤命決》：「孔子在庶，德無所施，功無所就，志在《春秋》，行在《孝經》。」唐徐彥疏言之亦明暢。

焦批：「鄭氏《中庸·注》亦引此。」（地腳）

案：見《中庸》「仲尼祖述堯舜，憲章文武；上律天時，下襲水土。」《禮記》第三十一篇，鄭玄之注。

㈢焦批：「《玉海》、《讀書志》載戴宏序云：『子夏傳公羊高，高傳其子平，平傳其子地，地傳其子敢，敢傳其子壽。至漢景帝時，壽乃與弟子胡母子都著以竹帛，其後傳董仲舒，以公羊顯於朝。』盧欽序云：『孔子自因魯史記而修《春秋》，制素王之道。』」（頁二「傳《春秋》者非一。」）

案：戴宏序亦引見於唐徐彥之疏中，而文字小異；盧欽序未見。焦循於徐彥疏上批云：「淺極。」，此蓋批駁疏云：「孔子至聖，卻觀無窮，知秦無道，將必燔書，故《春秋》之說，口授子夏，度秦至漢，乃著竹帛。」又《玉海》宋王應麟撰，《讀書志》爲晁公武《郡齋讀書志》。

二、《春秋公羊傳註疏・隱公・卷第一：起元年，盡元年。》：

(一)焦批：「《說文》：學，覺悟也。本作斆。」（頁一「何休學」）

案：徐彥疏云：「學者，言爲此經之學，即注述之意。」於義爲長。

(二)焦批：「司馬遷第文章立言，問者既泥之太甚，而答之者尤迂。」（頁一後段「疏：問曰……。答曰……。」）

案：徐彥之疏設問自答，其弊如是，故有此評。

(三)焦批：「《說文解字・一部》：『元，始也。从一，从兀。』」（地腳）

「何休《文謚例》云：『此《春秋》五始、三科、九旨、七等、六輔、二類之義，以矯枉撥亂爲受命品道之端，正德之紀也。』又『五始者，元年、春、王、正月、公即位是也。七等者，州、國、氏、人、名、字、子是也。六輔者，公輔天子，卿輔公，大夫輔卿，士輔大夫，京師輔君，諸夏輔京師是也。二類者，人事與災異是也。』」（天頭）（頁六「元年春王正月」）

案：《爾雅・釋詁》亦云：「初、哉、首、基、肇、祖、元、胎、俶、落、權輿，始也。」元本義爲人之首，故元首爲合義複詞；又引申爲元始、原始之義。何休《文謚例》文，徐彥疏解引見同此，錄於本經文之前疏中。

焦批：「循按：《白虎通》曰：『《春秋》曰：「元年春王正月。」公即位，改元位也，王者改元，即事天地；諸侯改元，即事社稷。』《春秋繁露・王道篇》：『《春秋》何貴乎元而言之？元者，始也，言本正也。』」（頁七）

(四)焦批：「何休《墨守》：『君者，臣之天也。』」

「杜預曰：『凡人君即位，欲其體元以居正，故不言一年一月也。』」（頁七「君之始年也」）

案：何休之說見《公羊墨守》，杜預之說見《春秋經傳集解・隱公第一》「經：元年春王正月。」下之注。

(五)焦批：「《繁露・玉英篇》：『元者，大始也。知元年，志大人之所重，小人之所輕，是故治國之端在正名，名正興五世；五傳之外，美惡乃形，可謂得其眞矣。』」（頁八「春者何」）

(六)焦批：「《春秋繁露》：『王者必受命而後王，王者必改正朔，易服色，制禮樂，一統於天下，所以明易姓非繼仁通，以己受之於天也。王受命而王制此月以應變，故作科以奉天地，故謂之王正月也。』」

「此經與董子《繁露・三代改制質文篇》合。《尚書・大傳》『夏以孟春爲正，殷以季冬爲正，周以仲冬爲正。夏以十三月爲正，色尚黑，以平旦爲朔；殷以十二月爲正，色尚白，以雞鳴爲朔；周以十一月爲正，色尚赤，以夜半爲朔。不以二月後爲正者，萬物不齊，莫適所統，故必以三微之月也。』」

「《白虎通》曰：『十一月之時，陽氣始養根株，黃泉之下，萬物皆赤，赤者盛陽之氣也，故爲天正，色尚赤也。十二月之時，萬物始牙而白，白者陰氣，故殷爲地正，色尚白也。十三月之時，萬物始達，孚甲而出皆黑，人得加功，故夏爲人正，色尚黑。』」（頁十一（頁十「曷爲先言王，而後言正月？」）

案：董仲舒《春秋繁露》、班固《白虎通（德論）》與《尚書・大傳》之說，焦循批注可以補《公羊注疏》之未全及不完備者，互參可詳明其義。

(七)焦批：「鄭元《發墨守》：『隱爲攝位，周公爲攝政，雖俱相幼君，攝位與攝政異也。』」（頁十六「故凡隱之立，爲桓立也。」）

案：鄭元即鄭玄，焦循爲避康熙玄燁名諱而改。

(八)焦批：「眛，《集韻》：『莫結切，與蔑音同。』又按：《唐韻》：『蔑，莫計切。』《荀子・議兵篇》：『楚人兵殆於垂沙，唐蔑死。』」楊倞注：『即楚將唐眛，眛與蔑同。』《宋書・武帝紀》：『臨朐有巨蔑水。』《水經注》：『袁宏謂之巨眛水。』」（頁十七「三月，公及邾婁儀父，盟於眛。」）

案：昧與蔑二字反切聲、韻、調（入聲）俱同，屬同音假借，焦循引經據典之驗證，故彰明而較著也。

(九)焦批：「最，古與聚通。」（頁十七「會，猶最也。」）

案：段玉裁《說文解字注‧七下》云：「……《顏氏家訓》謂最爲古聚字，手部撮字从最爲音義，皆可證也。……」又八篇上云：「聚，會也。」注云：「《公羊傳》曰：『會，猶最也。』注云：『最，聚也。』……」最，祖外切，十五部；聚，才句切，古音在四部，雙聲而通轉。

(十)焦批：「趙匡《春秋集傳》：『儀父，附庸之君，非有勤王之善，縱其自通於大國，亦自利爾，有何可嘉而字褒之乎？』」（頁十八「曷爲稱字？褒之也。」）

案：此說可爲以下經文「曷爲褒之？爲其與公盟也。……」之反證，可謂明褒而暗貶也。

(十一)焦批：「《發墨守》：『桓公國在宗周畿內，武公遷居東周畿內。』」（頁二十一「夏五月，鄭伯克段於鄢。」）

(十二)焦批：「何休《音訓》：『惠公三年，平王東遷。』」（頁二十三「秋七月，天王使宰咺來歸惠公，仲子之賵。」）

(十三)焦批：「郭景純注《尒疋》曰：『《禮記》曰：「生曰父母，死曰考妣。」《說文》云：「妣，歿母也。」今世學者從之。』案：《尚書（大傳）》曰：『大傷厥考心事，厥考厥長，聰聽祖考之彝訓，如喪考妣。』〈蒼頡篇〉曰：『考妣延年。』明此非死生之異稱矣。顧寧人曰：『古人曰父、曰考一也，自〈檀弓〉定爲生曰父，死曰考之稱，而爲人子者，當有所諱矣。』」（頁二十四「惠公者何？隱之考也。」）

案：此段焦循間鈔自惠棟《九經古義》卷十三《公羊古義》，而文字略有簡省。可相參較。

⒁焦批：「杜領（疑爲「預」之訛）云：『邾，今魯國鄒縣也。蔑，姑蔑，魯國魯地，卞縣南有姑城。』」（頁二十五墨書便條乙紙）

⒂焦批：「《五經異義》云：『《公羊》說諸侯不純臣，《左氏》說諸侯者，天子蕃衛純臣。』謹案：《禮》，王者所不純臣者，謂彼人爲臣皆非己德所及，《易》曰「利建侯」，侯者王所親建純臣也。元商也已下，鄭駁：『賓者，敵主人之稱；而禮，諸侯見天子稱之曰賓。不純臣，諸侯之明文矣。』是鄭據《周禮・大行人》以爲不純臣之證，與何氏合。」

「《白虎通》云：『王者不純臣，諸侯何尊重之？以其列土傳子孫世世，稱君南面而治。凡不臣異朝，則迎之於著；覲則待之於阼階，升降自西階，爲庭燎，設九賓享禮，而後歸，是異於衆臣也。』」（頁二十九「何以不言及仲子？仲子微也。」）

案：見東漢許愼撰《五經異義》「諸侯不純臣」條，原文錄自鄭玄《駁五經異義》。又見於惠棟《九經古義・公羊古義》，焦循第二段《白虎通》以下，爲惠棟注文。

⒃焦批：「啖助《集傳》：『《公、穀》多以日月爲例，或以書日爲美，或以爲惡；夫美惡於事跡見其文，足以知其褒貶，日月之例復何爲哉？如書日春正月叛逆，與言甲子三日叛逆，又何差異乎？

故知皆穿鑿妄說也。」」（頁二十三「公子益師卒，何以不日？」）

三、《春秋公羊傳註疏・隱公・卷第二：起二年，盡四年。》：

(一)焦批：「惠氏曰：『五年傳云：「始僭，諸公昉於此乎。」蔡邕《石經・公羊》「昉」作「放」。鄭康成注〈考工記〉云「瓬，讀如放於此乎之放」，是漢時《公羊》昉皆作放。』」（頁三「曷為貶？疾始滅也。始滅昉於此乎？」）

案：鈔見惠棟《九經古義》，阮元《公羊註疏・卷二・校勘記》「始滅昉於此乎」下云：「唐石經，諸本同。《隸釋》載漢《熹平石經》：『《公羊》殘碑，昉作放。』又鄭氏《詩譜・序》、〈考工記・注〉皆言『放於此乎』，本《公羊傳》文，是蔡、鄭所據本皆作『放』，當以『放』為正，『昉』俗字，下同。」又云：「按：古多作放，後人作倣、作仿、作昉，皆俗字也。《公羊傳》寫作昉，俗字耳。惠棟乃疑嚴氏《春秋》作放，顏氏《春秋》作昉，何用顏，其說誤也。」

(二)焦批：「《五經異義》：『今書《春秋—公羊、穀梁》說卿大夫世位，則權并一姓，謂周尹氏、齊崔氏也。而古文《春秋—左氏》說卿大夫，皆得世祿，《傳》曰「官族」，《易》曰「食舊德」，謂食父故祿也。《尚書》曰：「世選爾勞，予不絕爾善」，《詩》云「惟周之士，不顯奕世」，《論語》曰「興滅國，繼絕世」，國謂諸侯，世謂卿大夫也。』」（頁十一至十二「曷為貶？譏世卿。世卿，非禮也。」）

案：見惠棟《九經古義》，而文字有省簡。

㈢焦批：「䃜，蔡《石經》作『踖』」，《說文》無『䃜』字，當从《石經》作『踖』。《潛夫論》云：『石氏，衛公族。』」（頁二十一「然則孰立之？石䃜立之。」）

案：阮元《校勘記》云：「唐石經，諸本同。《隸釋》載：漢石經《公羊》殘碑。『䃜』作『踖』。惠棟《九經古義》云：『《說文》無「䃜」字，當從漢石經作「踖」。』」

四、《春秋公羊傳註疏．隱公．卷第三：起五年，盡十一年。》：

㈠焦批：「惠氏曰：『《大學》云「人貪戾」，鄭注云「戾之言利也」，《春秋傳》曰「登戾之」，《正義》云「以來爲戾」，與《公羊》本不同，下傳云「百金之魚公張之」，則登戾之說信矣。』」（頁一「公曷爲遠而觀魚？登來之也。」）

案：鈔見惠棟《九經古義．公羊古義》。

㈡焦批：「〈食貨志〉云：『漢興，更令民鑄莢錢、黃金一斤。』如淳曰：『時以錢爲貨，黃金一斤直萬錢。』〈食貨志〉又云：『米至石萬錢，馬至匹百金。』薛瓚曰：『秦以一溢爲一金，漢以一斤爲一金；一斤爲萬錢，則百金爲百萬錢矣。』何注與如、薛二說皆合，司馬貞《索隱》取瓚注而非如說，蓋未之考也。」

「顏遊秦《漢書注》云：『一金萬錢，見〈平準書．注〉。』《戰國策》云：『公孫閈使人操十金，而往卜于市。』高誘曰：『二十兩爲一金。』又云：『趙王封蘇秦爲武安君，黃金萬溢。』高誘曰：『萬溢，萬金也。二十兩爲一溢。』」（頁一至二「百金之魚公張之」）

案：前批見《公羊古義》正文，後批爲惠棟注文。

(三)焦批：「宋本『膚』作『將』。」（頁二「將尊師少，稱將。」）

案：此批乃補正何休注「銜孫良夫伐膚咎如是也」之「膚」，宋本作「將」。阮元《校勘記》云：「鄂本以下同，按成三年經作『將咎如』，《左氏》作『膚』，此誤。」又疏下云：「此本膚字剜改，蓋本作『將』。」

(四)焦批：「趙匡《集傳》：『按：前後稱「人」者，以圍者凡十五，若將卑師少，何能圍國？』」（頁三「將卑師少，稱人。」）

(五)焦批：「《五經異義》：『王者已有卅伯，所以復設二伯何？欲使絀職也。三歲一閏，天道小備，故二伯絀職也。何以爲二伯乎？曰：「以三公在外稱伯，東西分爲二。」所以稱伯何？欲抑之也。云臣之最尊者也，又以王命行天下爲其威，故抑之也，明有所屈伯也。』（以下蠹蝕）」（頁五「自陝而東者，周公主之；自陝而西者，召公主之，一相處乎內。」）

案：焦循此段引文，未見於《四庫全書》本《公羊古義》及《駁五經異義》。蓋另有所據，當有補遺輯佚之本。

(六)焦批：「《五經異義》云：『《公羊》說龠（原作「樂」）萬舞以鴻羽，取其勁輕一舉千里；《詩》毛說萬以翟羽，《韓詩》說□（以）夷狄大鳥羽。』謹（案）：《詩》云『右手秉翟』，《小疋》說「翟，鳥名，雉屬也」，知翟羽舞也。」（頁六「僭天子，不可言也。」）

案：見惠棟《公羊古義》。

(七)焦批：「《左傳》作『渝平』，云『更成也』，服虔曰：『公爲鄭所獲，釋而不結平，于是更爲約束以結之，故曰「渝平」。』平猶成也，成猶盟也。《桓元年・傳》云：『渝盟無享國。』秦晉爲盟成而不結宋，及楚平，傳載盟詞，渝盟猶渝成也，渝成猶渝平也。公與鄭絕，鄭來渝平，隱不享國，桓、莊結成以隱爲詞，則渝平不得爲渝成明矣。〈秦誓文〉（即〈詛楚文〉）云『□□（原「變輸」）盟刺』，《廣雅》云：『輸，更也』，渝與輸同（朱子云），輸亦訓墮，故左氏謂之『更成』，《公羊》謂之『墮成』，其義一耳。孫復以輸平爲輸誠，尤誤；劉原父以更成爲非，从《公羊》改渝爲輸，蓋未攷字義。」（頁九至頁十「六年春，鄭人來輸平。」）

案：鈔見惠棟《公羊古義》，「其義一耳」以上爲正文；「孫復」以下爲注文。阮元《左傳校勘記》云：「惠棟云：『渝，讀爲輸。二傳作輸，《廣雅》云「輸，更也」，〈釋詛楚文〉「變輸盟刺」，謂變更盟刺耳。渝，更也；平，成也，故經書「渝平」，傳云「更成」，杜氏訓渝爲變，必俗儒傳寫之訛。案：渝、輸古通用，《爾雅》云「渝，變也」，杜氏用雅訓變，亦更之意也。』」此與焦批可以互明相證。

(八)焦批：「獨惡鄭擅獲諸侯。」（何休注）

「宋本明鄭獨擅獲諸侯。」（地腳）（頁十「然則，何以不言戰？諱獲也。」）

㈨焦批：「《左傳》作『祊』。」（頁十六「三月，鄭伯使宛來歸邴」）

案：阮元《左傳校勘記》云：「祊，《漢書・五行志》引作『邴』。案：《公羊、穀梁》作『邴』。」

㈩焦批：「左作『浮來』。按：包从包，象子在胞中。《易・中孚》象鳥孚子，从爪从子；伏犧一作包犧，伏即孚之入聲。《說文》保从人从呆省，呆古文孚字，保古文保字，保包之入聲也。然則，古包浮音通，實一字耳。餓莩音標，莩莩音苻餟，乃古文飽字；胞一作脬，桴作枹。惠氏《九經古義》云：『古浮包字同，秦有儒生浮邱伯，見《漢書・楚元王傳》，而《鹽鐵論》作「包邱子」，蓋古音通也。』」（頁二十「九月辛卯，公及莒人盟於包來。」）

(十一)焦批：「《說文》：邴，宋下邑，在泰山。」（頁二十二「冬，公會齊侯於邴。」）

案：《左傳》作「冬，公會齊侯於防。」注云：「防，魯地，在瑯邪縣東南。」

(十二)焦批：「蔡《石經》『弒』作『試』。《白虎通》引《春秋讖》曰：『弒者，試也。欲言臣子殺其君父，不敢卒候間，司事可稍稍弒之。』《荀卿子・議兵》曰：『傳曰「威厲而不試，刑措而不用」。』《鹽鐵論》曰：『威厲而不殺，殺音試，古音同。』」

「殺音試，《釋文》云：『弒从式，殺从殳，不同。君父言弒，積漸之名；臣子云殺，卑賤之意。字多亂，故時復音之。』」（頁二十三「冬十有一月壬辰，公薨，何以不書葬？隱之也。何隱爾？弒也。」）

案：第一段鈔見《公羊古義》，第二段爲惠棟注文。阮元《公羊注疏校勘記》云：「唐石經、諸本同。漢石經弑皆作試，《釋文》作殺也，云『申志反，注及下並同』。《九經古義》云：『《白虎通》引《春秋讖》曰：「弑者，試也。欲言臣子殺其君父，不敢卒候間，司事可稍稍試之。」』」

焦批與阮記，可謂先後一致。

五、《春秋公羊傳註疏·桓公·卷第四：起元年，盡六年。》：

(一)焦批：「宋本作『正』。」（頁十「宋始以不義取之，故謂之郜鼎。」）

案：此批正何休注文「宋始以不義取之，不應得，故主之謂之郜鼎。」主之，宋本作「正之」。阮元《公羊注疏校勘記》云：「閩、監、毛本，王作主，皆誤也。鄂本作正，當據改。」

(二)焦批：「《荀子·大略篇》曰：『《春秋》善胥命，而《詩》非屢盟，其心一也。』」（頁十四「夏，齊侯、衛侯胥命於蒲。」）

案：鈔見《公羊古義》。下批（三）同。

(三)焦批：「朱新仲曰：有者，不宜有二公，行事不宜有此，皆貶也。」（頁十六「有年，有年何以書？以喜書也。」）

(四)焦批：「宋本『見』作『毛』。」（頁十七「狩者何？田狩也。春曰苗，秋曰蒐，冬曰狩。」）

案：批正何注「苗，毛也。明當『見』物，取未懷任者。」阮元《校勘記》云：「閩、監、毛本同，此淺人所改。鄂本見作毛，當據正。毛猶現也，《詩》左右毛之，《玉篇》見部引作覒。」

(五)焦批：「趙《集傳》：雩，祭名爾。旱乃災也，以雩言旱，非舉重之義。」（頁二十四「言雩則旱見，言旱則雩不見。」）

六、《春秋公羊傳註疏．桓公．卷第五：起七年，盡十八年。》：（以下第二冊）

(一)焦批：「《左氏傳》云：『萊人賂夙沙衛以索牛馬。』杜氏云：『索，簡擇好者。《周禮．牛人》：「祭祀共求牛。」求牛猶索牛也。』」（頁四「常事不書，此何以書？譏。」）

(二)焦批：「《五經異義》：『《公羊》說天子至庶人皆親迎，左氏說王者至尊無敵體之義，不親迎。』」

案：鈔見《公羊古義》。

（頁七「使我爲媒可，則因用是往逆矣。」）

(三)焦批：「杜預、范甯皆闕。」（頁十一「十有一年春正月，齊人、衛人、鄭人盟於惡曹。」）

(四)焦批：「鄶公者，鄶仲也；夫人者，叔妘也，事見《國語》。鄭《發墨守》曰：『鄭始封君曰桓公者，周宣王之母弟，國在宗周畿內，今京兆鄭縣是也。桓公生武公，武公生莊公，遷居東周畿內，國在虢鄶之間，今河南新鄭縣是也。武公生莊公，因其國焉。留乃在陳、宋之東，鄭受封至此，適三世安得古者？鄭國處于留，祭仲將往省留之事乎？』惠氏曰：『桓公寄帑與賄于虢、鄶及十邑。

幽王之亂，東京不守，當有處留之事；其後滅虢、鄶十邑而居新鄭，則以留爲邊鄙，當在武公之時，故云古者鄭國，又云先鄭伯，公羊之言，正與外傳合。鄭氏不攷，而驟非之，過矣。』」（頁十二「先鄭伯有善于鄶公者，通乎天人，以取其國而遷鄭焉。」）

案：鈔見《公羊古義》。阮元《校勘記》云：「唐石經、宋本、閩本同。監、毛本鄶誤鄫。按：《釋文》：『鄶，古外反。』」

(五)焦批：「《左傳》作『夫鍾』。」（頁十六「公會宋公于夫童。」）

案：《釋文》云：「夫童，音扶，下音鍾，又如字。左氏作夫鍾。」

(六)焦批：「《春秋例》：大國書奔，皆悉書月。」（頁二十六「十有一月，魏侯朔出奔齊。」）

七、《春秋公羊傳註疏．莊公．卷第六：起元年，盡七年。》：

(一)焦批：「幹即个」（硃批）（頁三「搚幹而殺之。」）

(二)焦批：「啖助《集解》云：『《公羊》云「《春秋》爲賢者諱，爲尊者諱」，《穀梁》云「爲尊者諱恥，爲親者諱疾，爲賢者諱過」，舊說隱諱也，乃隱其惡耳。若隱其惡，何名爲直筆乎？蓋諱辟之也，辟其名而遜其詞，以示尊敬也，猶魯諱具敖，以鄉名山，非爲隱諱言魯無此山也。但諱爲辟，則近《春秋》之義也。今言他人之遇屯、否、罪、戾、死、喪、恥、辱則正言之，至於所尊所敬，則婉順言之，此蓋是人情常理。《春秋》辟諱之道，以尒公夫人見殺及魯師敗不書，不可斥言也，公則以不地見殺，夫人則以齊人以尸歸。見殺師敗，則書戰而已，舉例而見意。凡惡事必須書者，則辟辭言之，猶公夫人奔則曰遜，殺大夫曰刺之類是也。』」（頁十五「紀侯大去其國。大去者何？滅也。」）

㈢焦批：「《五經異義》曰：『《公羊》說復百世之仇，古《周禮》說復讎可盡五世之內，五世之外施之于己則無義，施之于彼則無罪。』惠氏曰：『魯桓公爲齊襄公所殺，其子莊公與齊桓公會，《春秋》不譏；又定公是魯桓公九世孫，孔子相定公，與齊會於夾谷，是不復百世之讎也，从《周禮》說。』」（頁十六「九世猶可以復讎乎？雖百世可也。」）

案：鈔見《公羊古義》。

㈣焦批：「宋本作『葬』。」（頁十八「徒葬於齊爾。」）

案：此批正何休注「徒爲齊侯所殺，故痛而書之」之「殺」字，阮元《校勘記》亦曰：「閩、監、毛本同，誤也。鄂本殺作葬，當據正。」

㈤焦批：「王伯厚曰：『《晉語》司馬侯曰：「羊舌肸習于《春秋》。」《楚語》申叔時曰：「教之《春秋》。」皆在孔子前，所謂乘、檮杌也，魯之《春秋》，韓起所見所云□□（二字蠹蝕）《春秋》也。』」」（頁二十七「不脩春秋曰：雨星不及地尺而復。」）

案：鈔見《公羊古義》。蠹蝕二字爲「不修」。

八、《春秋公羊傳註疏・莊公・卷第七：起八年，盡十七年。》：

(一)焦批：「《五經異義》：『《公羊》說甲午祠兵，祠者，祠五兵矛戟劍盾弓鼓及祠蚩尤之造兵者。左氏說甲午治兵，爲授兵於廟。』謹案：『《三朝記》曰：「蚩尤，庶人之強者，何兵之能造？」鄭駁曰：：「元之聞也，祠兵者，《公羊》字之誤，以治爲祠，因而作說之于周。〈司馬職〉曰：『仲夏教發舍，仲秋教治兵。』其下皆云如戰之陳。『仲冬教大閱，脩戰法；虞人萊所田之野。』乃爲之如是，治兵之屬皆習戰，非授兵于廟，又與祠五兵之禮□（蠹闕）。」鄭以《公羊》祠當爲治，故《詩・采芑》引此傳直作治。』」（頁一至二「甲午祠兵」）

案：鈔見惠棟《公羊古義》。以下所見皆同此，不另注明。

(二)焦批：「惠氏云：『成與盛通，故《釋名》云：「成者，盛也。」《穆天子傳》云：「盛姬，盛伯之子。」郭璞云：「盛，國名。」文十二年「盛伯來奔」，是盛國伯爵姬姓，二傳皆作郕。僖廿四年《左氏傳》云：「管蔡郕霍，文之昭也。」盛爲姬姓，故《穆天子傳》云：「天子賜盛伯爲上姬之長。」郕後爲魯邑，昭七年《左氏傳》曰：「晉人來治杞田，季孫將以成與之。」《說文》：「郕，魯孟氏邑。」是郕與成一也，故此傳云「諱滅同姓」。《郡國志》云：「濟北成縣，本國成；舊屬泰山郡。」《地理志》：「泰山有式縣，式當爲成。」』」（頁二至三「成降于齊師，成者何？盛也。」）

案：鈔見惠棟《公羊古義》，以下見「惠氏」所云皆同此，不另注明。

㈢焦批：「昭卅一年傳與此同，蓋漢律也。《史記・李斯傳》云：『具斯五刑。』《漢書・刑法志》云：『漢興之初，尚有夷三族之令。令曰：當三族者，皆先黥劓斬左右趾，笞殺之，梟其首，菹其骨肉于市；其誹謗詈詛者，又先斷舌，故謂之具五刑，彭越、韓信之屬皆受此誅。暴秦之爲禍也烈矣，高后元年乃除三族罪祅言令。』《尚書・甫刑・傳》：『子張曰：堯舜之主二人刑而天下治。何則？教成而愛深也。一夫而被此五刑，子龍子曰：「未可謂能爲書。」』康成注曰：『二人俱罪呂侯之說刑也，被此爲刑，愈犯數罪也。孔子曰「不然也，五刑有此教」。注云：「教然耳，數罪猶以上一罪刑之。」』此與漢律一人數罪，以重者論之同義。」（頁十一「滅不言入，書其重者也。」）

案：鈔見《公羊古義》。

㈣焦批：「戴氏曰：『荊楚一物，義能相發，吳揚異訓，故不得州名也。』」（頁十三「荊者何？州名也。」）

㈤焦批：「趙《集傳》：按諸侯無稱氏之例，又按《春秋》無氏獨行之例，唯崔氏出奔、尹氏卒是譏世卿，不同常例。」（頁十四「人不若名，名不若字，字不若子。」）

㈥焦批：「七等一州、國、氏、人、名、字、子。」（頁十四「字不若子—何註：…故加州文備七等。」）

㈦焦批：「《春秋繁露》云：『此虜也爾虜焉知，魯侯之美惡乎致？萬怒搏閔公絕脰。』《韓詩外傳》引此云：『閔公矜此婦人，妒其言，顧曰：爾虜焉知魯侯之美惡乎？』」（頁十九至二十「爾虜焉故，魯侯之美惡乎至？」）

案：阮元《校勘記》與此略同，前後略增說明：「唐石經、諸本同。《九經古義》云（以下同焦批）……何本知作故，以爾虜焉故句，魯侯之美惡乎至句，意反迂曲。」又此批見《公羊古義》。

(八)焦批：「《公羊》之筆刻入異常。樧讀如塞，今俗呼擊人尚云樧人。」（硃批）（頁二十「萬臂摋仇牧碎其首，齒著乎門闔。」）

案：經文各字均加硃筆圈記。阮元《校勘記》有正。

(九)焦批：「惠氏曰：『古佞猶孔壬也。《爾疋‧釋言》云「孔，甚也」，〈釋詁〉云「壬，佞也」，《虞書》云「何畏乎巧言令色孔壬？」《孔氏傳》訓爲「甚佞」。佞讀爲年，「天王殺其弟年夫」，《左傳》作「佞夫」，故《國語》「輿人誦曰：佞之見佞，果喪其田。」佞與田協，故讀爲年，年讀爲壬。《說文》：「邾，從邑，年聲，讀若寧。又年，從禾，千聲。」千與年同音，田讀爲陳，故甚佞謂之孔壬，後人疑孔壬之說，遂以爲共工名，其妄如此，王逸《天問‧注》云「康回，共工名」，亦誤。齊田謂之齊陳，既同物又同音，是之謂古訓。』」（頁二十七至二十八「日佞人來矣，佞人來矣。」）

案：鈔見《公羊古義》。

九、《春秋公羊傳註疏．莊公．卷第八：起十八年，盡二十七年。》（以下第三冊）：

(一)焦批：「惠本納徵者曰，作禮曰。」（頁九「冬，公如齊納幣。」）

案：此正毛本何休注「納幣，即納徵，納徵者曰」。阮元《校勘記》曰：「鄂本納徵不重，此衍毛本，禮誤者。」

(二)焦批：「《春秋繁露》曰：『曹羈曰戎衆以無義，君無自適；君不聽，果死戎寇。』」（頁十六「戎將侵曹，曹羈諫曰。」）

案：阮元《校勘記》「君請勿自敵也」下云：「諸本同，唐石經缺。《九經古義》云：『《春秋繁露》曰（以下同焦批），適讀爲敵。《禮記．雜記．注》云：「適讀爲匹敵之敵。」《荀子》云：「天子四海之內無客禮，告無適也。」注云：「適讀爲敵。」《史記．范睢傳》：「攻適伐國。」〈田單傳〉：「適人開戶。」〈李斯傳〉：「群臣百官皆畔不適。」徐廣皆音征敵。』」

與下文同。

(三)焦批：「惠氏曰：適讀爲敵，古音義也。《禮記．注》云：『適讀爲匹敵之敵。』《荀卿子》云：『天子四海之內無客禮，告無適也。』注云：『適讀爲敵。』《史記．范睢傳》『攻適伐國』，〈田單傳〉『適人開戶』，〈李斯傳〉『群臣百官皆畔不適』，徐廣皆音征敵之敵。董氏所據《公羊》，依古本以適爲敵。」（頁十七「戎衆以無義，君請勿自敵也。」）

(四)焦批：「宋本作『字』。」（頁十九「二十有五年春，陳侯使女叔來聘。」）

案：批正何注「稱字者，敬老也。《禮》七十雖庶人主孝而禮之。」「孝」字宋本作「字」爲正。故阮元《校勘記》云：「閩、監、毛本同，誤也。鄂本、宋本，孝作字，當據正。」

十、《春秋公羊傳註疏・莊公・卷第九：起二十八年，盡閔公二年。》：

(一)焦批：「《考工記》云：『凡察車之道不微至，無以爲戚速也。』康成云：『齊人有名疾爲戚者。《春秋傳》曰：蓋以操之爲已蹙矣。』疏云：『鄭氏以蹙爲疾，與何別。』非也，古戚蹙同音，《詩・小明》云：『曷云其還，政事愈蹙；歲聿云暮，采蕭穫菽；心之憂矣，自貽伊戚。』是戚讀爲蹙，《公羊》作『蹙』，故訓爲痛；戚有蹙音，故訓爲疾。」（頁六「子司馬子曰：蓋以操之爲已蹙矣。」）

案：阮元《校勘記》云：「唐石經、諸本同。武億云：『操，古本作躁，《詩・江漢・正義》引此，躁迫也。按蹙當本作戚，何訓爲痛也，是傷戚之意。《考工記》『不微至無以爲戚速也』，注引《春秋傳》曰『蓋以操之爲已戚矣』，可證鄭本作戚。』按：《說文》有戚無蹙。」

(二)焦批：「《五經異義》：『天子有三臺，諸侯二。天子有靈台，所以觀天文；有時台，以觀四時施化；有囿台，所以觀鳥獸魚鱉。諸侯當有時台、囿台，諸侯卑不得觀天文，無靈台，皆在國之東南二十五里。東南小陽用事，萬物著見；用廿五里吉行，五十里朝行暮反也。』」（頁七「臨民之所漱浣也。」）

㈢焦批：「《五經異義》云：『《春秋公羊》說云未踰年君，有子則書葬立廟，無子則不書葬，恩無所錄也。《左氏》說云臣之奉君，悉心盡恩不得錄，君父有子則爲立廟，無子則廢也。或議曰（缺文）。』案：禮云臣不殤君，子不殤父，君無子則不爲立廟，是背義棄禮，罪之大者也。鄭駁云『元聞之也，未踰年君者，魯子般、子惡是也，皆不稱公，書卒弗謚，不成於君也。廟者當序於昭穆，不成爲君則何廟之立？凡無廟者爲壇祭之，近漢諸幼小之帝，尚皆不立廟而祭于陵，云罪之重者，此何故不罪？殤者十九而下未踰年之君，未必未冠，引殤欲以何明也？』蔡邕曰：『見孝殤、孝沖、孝質皇帝，以幼弱在位，未踰年不列于廟，大尉、司徒分視三陵，皆宗廟典制也。』」（頁十五至十六「無子不廟，不廟則不書葬。」）

㈣焦批：「《漢書》地節四年詔曰：『父子之親，夫婦之道，天性也，雖有禍患猶蒙死而存之，誠愛結於心，仁厚之至也，豈能違之哉？自今子首匿父母，妻匿夫，孫匿大父母，皆勿坐其父母匿子，夫匿妻，大父母匿孫殊死，皆上請廷尉以聞。』」（頁十七「不探其情而誅焉，親親之道也。」）

㈤焦批：「犖、樂同音。」（硃批）（頁十七「然後誅鄧扈樂，而歸獄焉。」

㈥焦批：「何本作還也。」（頁十九「外之也，曷爲外之？」）

案：毛本何註「據俱出奔遠也」，「遠」何本作「還」。阮元《校勘記》云：「鄂本遠作還，諸本皆誤，當訂正。」

(七)焦批：「趙《集傳》：褅者，本王者之大祭，諸侯不得行之。成王以特尊周公，令魯行耳。閔二年遂僭用于莊廟，故經書以譏之。《公羊》云『其言莊公何？未可以稱宮廟也』，必若不合于宮廟行褅，而今行之，則當明書以示譏，不應隱辟也。自緣不配文王，故斥言莊公以明之爾。」（頁二十二「未可以稱宮廟也。」）

十一、《春秋公羊傳註疏・僖公・卷第十：起元年，盡七年。》：

(一)焦批：「通指，即通達意也。」（頁十一「獻公揖而進之。」）

案：何休註「以手通指曰揖」，焦批明其指意也。

(二)焦批：「《白虎通》云：傳曰：『周公入爲三公，出爲二伯，中分天下，出黜陟』，詩曰：『周公東征，四國是皇』，言東征述職，周公黜陟而天下皆正也。經典無西征之文，《荀子・王制篇》曰『周公南征而北國怨，曰何獨不來也？東征而西國怨，曰何獨後我也』，《呂氏春秋・古樂篇》曰『成王立殷民，反王命，周公踐伐之，商人服。象爲虐于東夷，周公遂以師逐之，至于江南，乃爲三象，以嘉其德』，此南征之文也。」（頁二十一「古者，周公東征則西國怨，西征則東國怨。」）

十二、《春秋公羊傳註疏・僖公・卷第十一：起八年，盡二十一年。》：

㈠焦批：「《左傳》以夫人爲哀姜，《穀梁》以爲成風。楊士勛曰：『僖公是作頌賢君，縱爲齊所脅，豈得以媵妾爲夫人乎？』趙匡曰：『夫人者，時君之妻爾，且聲姜更無書至處，故知因其至，特設禘禮以爲榮觀，故變文譏之爾。』」（頁二「秋七月，禘于太廟，用致夫人。」）

㈡焦批：「《五經異義》：諸侯未踰年，出朝會與不出會何稱？《春秋公羊》說云『諸侯未踰年，不出境，在國中稱子；以王事出亦稱子。非王事而出會同，安父位不稱子，鄭伯伐許未踰年，以本爵譏不子也』。《左氏》說『諸侯未踰年，在國內稱子，以王事出則稱爵，詘于王事，不敢伸其私恩，鄭伯伐許是也』。《春秋》不得以家事辭王事，諸侯藩衛之臣，雖未踰年，以王事稱爵是也。」「《駁五經異義》云：昔武王卒父業，既除喪，出至孟津之上，猶稱太子者，是爲孝也。今未除喪而出稱爵，是與武王義反矣。春秋僖九年，春三月丁丑，宋公禦說卒；夏，公會宰周公、齊侯、宋子、衛侯、鄭伯、許男、曹伯于葵邱，宋子即踰年君也。出與天子、大夫會，是非王事而非子耶？」（頁三至四「夏，公會宰周公、齊侯、宋子、衛侯、鄭伯、許男、曹伯于葵丘。」）

㈢焦批：「恐曷，即漢律恐猲也。陳群《新律・序》曰『盜律有恐猲』，《漢書・王子侯表》曰『葛魁侯戚坐縛家吏，恐猲受賕，棄市。平城侯禮坐恐猲，取雞兔；承鄉侯德天，坐恐猲國人受財臧五百以上，免；籍陽侯顯坐恐猲國民取財物，免。』師古曰『猲者，謂以威力脅人也。音呼葛反。』《戰國策》云『恫疑虛猲』，高誘曰『猲，喘息懼貌。』」（頁十三「曷爲城杞，滅也。孰滅之？蓋徐莒脅之。」）

案：何休註「是見恐曷而亡」，阮元《校勘記》云：「《釋文》『曷，火葛反。』《九經古義》云：『恐曷即《漢書》恐猲也。（以下同焦批）音呼葛反。』」是焦批引惠棟《九經古義》，而阮元引作《校勘記》也。

(四)焦批：「趙《集傳》：晦者，朔之晦爾。據十六年戊申朔，隕石于宋五；成十六年甲午晦，晉楚戰于鄢陵，並書晦朔，則知古史之體應合書日，而遇晦朔必書之，以爲歷數之證。」（頁十七「己卯，晦，震夷伯之廟。晦者何？冥也。」）

(五)焦批：「楊士勛曰：磌字，《說文、玉篇、字林》等無其字，學士多讀爲砰。據《公羊》古本並爲磌字。張揖讀爲磌，是石聲之類，不知出何書也。」（頁十八「聞其磌然，視之則石，察之則五。」）

案：阮元《校勘記》云：「唐石經、諸本同。《釋文》『磌然，之人反，又大年反；或作砰，八耕反。《經義雜記》曰：『《穀梁・疏》云（以下略同焦批）。今《玉篇》有磌字，云音響也，蓋孫強等增加。《廣雅・四・釋詁》：「砰，普耕反，聲也。」而無磌字。楊云「張揖讀爲磌」，是古本《廣雅》有磌矣。』《五經文字》『磌，之人反，又大年反，聲響也，見《春秋傳》。』」

(六)焦批：「《穀梁》、何休《廢疾》見彼弧。」（頁二十四「五月戊寅，宋師及齊師戰于甗。」）

(七)焦批：「何本『會』下有『盟』字。」（頁二十六「鄫人會于邾婁，其言會盟何？」）

案：阮元《校勘記》云：「唐石經、宋本『會』下有『盟』字，此脫。毛本『子』誤『人』。」

(八)焦批：「惠氏曰：『血當爲衈壞字也。《穀梁》作『衈社』，《山海經》云『祈聛用魚』，郭璞云

『以血塗祭爲䎶也』，《公羊傳》云『蓋叩其鼻以䎶社』，音釣餌之餌；《禮》說曰『以牲告神欲神聽之曰䎶』，蓋兼取膟膋，故耳從血，用祈神聽，故䎶從申。」（頁二十七「蓋叩其鼻以血社也。」）

案：阮元《校勘記》云：「唐石經、諸本同。《周禮．肆師．注》引《春秋．僖十九年》『夏，邾人執鄫子用之』，傳曰『用之者何？蓋叩其鼻以衈社也』。惠士奇云：『《山海經．東山經》：「祠，毛用一犬，祈䎶。」注云「䎶音餌，以血塗祭爲䎶也。」《公羊傳》「蓋叩其鼻以䎶社」，今本《公羊》作「血」訛。《穀梁》作「衈社」，與鄭注合。』」

十三、《春秋公羊傳註疏．僖公．卷第十一：起二十二年，盡三十三年。》

（以下第四冊）：

㈠焦批：「拘」。（頁四「王者無外，此其言出何？不能乎母也。」）

案：疏末「鄭氏雜用三家，不苟從一」，焦批「苟」改作「茍」於疏旁，天頭又書「拘」字，蓋二字皆可從。頁五、六間空白處，焦循又書一硃字「焦」，不明何指。

㈡焦批：「趙《集傳》：聖人立教，猶云不逆詐，豈未行其事，而先致其意乎？」（頁十三「未侵曹也，未侵曹則其言侵曹何？」）

㈢焦批：「趙《集傳》：歸于與歸之于，其義一也；或傳寫衍縮，不煩妄釋。」（頁二十一「晉人執衛侯歸之于京師。」）

(四)焦批：「《五經異義》：《公羊》說祭天無尸，《左氏》說晉祀夏郊，以董伯爲尸。《虞夏傳》云『舜入唐郊，以丹朱爲尸』，是祭天有尸也。《魯郊祀》曰『視延帝尸』，從《左氏》之說也。」（頁二十九「天子祭天，諸侯祭土。」）

(五)焦批：「《列子》：孔子曰『望其壙，宰如也，墳如也，鬲如也』；注曰『宰，冢也』」。（頁三十四「秦伯怒曰：若爾之年者，宰上之木拱矣。」）

十四、《春秋公羊傳註疏・文公・卷第十三：起元年，盡九年。》：

(一)焦批：「《五經異義》：『《公羊》說虞而作主，古《春秋左氏》說既葬反虞，天子九虞。九虞者，以桑主九虞十六日也；諸侯七虞十一日也，大夫五虞八日也，士三虞四日也。既虞，然後祔死者于先；死者祔而作主，謂桑主也。期年然後作栗主。』謹案：『《左氏》說與《禮》說同。』」」（頁五至六「主者何用？虞主用桑。」）

案：鈔見《公羊古義》，下批同

(二)焦批：「《五經異義》：《戴禮》及《公羊》說虞主埋于壁兩楹之間。一說埋之于廟北牖下，《左氏》說虞主聽藏無明文，鄭駁之云『案：《士喪禮》重與柩相隨之，《禮》柩將出則重倚于道左，柩將入于廟則重止于門西。虞主與神相隨之，《禮》亦當然。練時既特作栗主，則入廟之時，視奉虞主于道左；練祭訖，乃出就虞主而埋之，如〈既虞〉埋重于道左。』」（頁六「練主用栗，用栗者藏主也。」）

㈢焦批：「『堂』，宋本作『常』。」（地腳）（頁六「何休註：藏于廟室中，堂所當奉事也。」）

案：監本「堂」作「當」，於義亦正。

㈣焦批：「馮唐《嚴氏春秋章句》：正廟之主各藏太室西壁之中，遷廟之主于太祖太室北壁之中。案：《古文論語》云『哀公問主于宰我』，康成注云『田主謂社』。《春秋．正義》云『案：《古論語》及孔、鄭皆以爲社主，張、包、周等並爲廟主。』《五經異義》云『今《春秋公羊》說祭有主者，孝子之主繫心；夏后氏以松，殷人以柏，周人以栗。《周禮》說虞主用桑，練主以栗，無夏后氏以松爲主之事。』謹按：從《周禮》說，《論語》所云謂社主也，是許氏亦據古文以主爲社主，何晏《集解》本直作社字，後人承其誤，遂以爲古文作問社，今文作問主，其說非也。』」（頁六至七「用栗者，藏主也。」）

㈤焦批：「何本『珠』作『球』。」（頁十五「含且賵，含者何？口實也。」）

案：何注「天子以珠，諸侯以玉，大夫以碧，士以具，《春秋》之制也。」阮元《校勘記》云：「鄂本『珠』作『球』，誤。《檀弓下．正義》作『璧』。」

㈥焦批：「趙《集傳》：據禮含賵襚止一人，《公、穀》反云譏一人兼行，二禮殊乖禮意也。據禮含賵襚止一人，兼行耳。若每事須一人，則罄王朝之臣，不足以充喪禮之使也。」（頁十五「兼之，兼之非禮也。」）

(七)焦批：「《春秋條例》：母以子貴，庶子爲君，母爲夫人。薨卒赴告，皆以成禮；不行妾母之制，夫人成風是也。」

「《五經異義》：妾母之子爲君，子得尊其母爲夫人。按：《春秋公羊》說妾子立爲君，母得稱夫人，故上堂稱妾屈于嫡，下堂稱夫人尊行國家，則士庶起爲人君，母亦不得稱夫人。父母者，子之天也；子不得爵命父母，至于妾子爲君爵，其母者以妾，本接事尊者，有所因也。《穀梁》說僖公立妾母成風爲夫人入宗廟，是子而爵母也；以妾爲妻，非禮也。古《春秋左氏》說成風得立爲夫人，母以子貴。謹按：《尙書》舜爲天子，瞽瞍爲士，明起於匹庶者，子不得爵父母也；至於魯僖公本妾子，尊成風爲小君，經無譏文，《公羊、左傳》氏義是也。鄭駁云：『禮喪服父爲長子三年，以將傳重故也；衆子則爲之周，明無二嫡也。女君卒，貴妾繼室攝其事耳，不得復立夫人。魯僖公妾母爲夫人者，乃緣莊夫人哀姜有殺子般，閔公之罪應貶故也。近漢呂后殺戚夫人及庶子，趙王不仁，廢不得配食文帝，更尊其母薄后，非其比耶？妾子立者，得尊其母，禮未之有也。』」（頁十五至十六「成風者何？僖公之母也。」）

十五、《春秋公羊傳註疏・文公・卷第十四：起十年，盡十八年。》：

(一)焦批：「《荀子・大略篇》曰：《易》曰復自道，何其咎？《春秋》賢繆公，以爲能變也。」（頁五「以爲能變也，其爲能變奈何？」）

㈡焦批：「《說文》引《書》云『戔戔，巧言』，〈李尋傳〉云『昔秦穆公說諓諓之言，任仡仡之勇』，王逸《楚詞章句》引《書》云『諓諓靖言』，靖與竫同。」（頁五「惟諓諓善竫言」）

案：阮元《校勘記》云：「諸本同，唐石經缺。《釋文》諓，《尚書》作截，竫或作諞，本作諓。《九經古義》云（以下同焦批）。」可知焦批乃引《九經古義》。

㈢焦批：「《尚書》怠作辭，籀文辭從台，《史記・三王世家・齊王策》云『俾君子怠』，與《公羊傳》合。」（頁五「俾君子易怠。」）

案：阮元云：「諸本同，唐石經缺。《九經古義》云（以下同焦批）。」

㈣焦批：「《尚書》況作皇，依字當作兄，兄滋也。〈無逸〉云『無皇曰』，又云『則皇自敬德』，漢石經〈無佚〉皆作兄，《詩・桑柔》云『倉兄塡兮』，義作況。」（頁五「而況乎我多有之。」）

案：阮元云：「唐石經況字缺，《九經古義》云（以下同焦批）。」

㈤焦批：「焉與夷同，見《周禮・行夫・注》夷聲近猗，故《尚書》作猗。技與伎同，《尚書》或作技。」（頁六「惟一介斷斷焉無他技。」）

案：焦批此段，與阮元《校勘記》，皆引惠棟《九經古義》文。漢儒專門訓詁之學，由是書可以考見。

㈥焦批：「《尚書》云『如有容』，古如字作而，而讀爲能，能讀爲如。《詩・民勞》云『柔遠能邇』」，箋云『能猶伽也，伽當作如，如其意也。』」「此述〈秦誓〉之詞。」（註）（頁六「能有容，是難也。」）

案：《校勘記》云：「唐石經、諸本同。《九經古義》云（以下同焦批）。此述〈秦誓〉之辭，而字多異，然與《尚書》無大抵牾，蓋古今文之殊爾。」

(七)焦批：「賈逵、服虔皆以爲大廟之上屋。《禮》說曰：清廟之制如明堂，明堂五室，故清廟五寢。中央曰大室，亦曰大寢。大室屋壞者，室上重屋，〈明堂位〉所謂復廟重檐，天子之廟室。〈洛誥〉五入大室祼是也。孔穎達曰：《左傳》不辨此是何公之廟，而徑謂之大室，則此室之最大者，故知是周公之廟，非魯公也。〈明堂位〉曰：魯公之廟，文世室也；武公之廟，武世室也。世室非一君，不宜專屬伯禽。惠氏曰：《公羊》皆以世爲大，如衛大叔儀爲世叔，齊、宋樂大心爲樂世心。又推而廣之，如鄭大夫子大叔，《論語》作世叔。天子之子稱太子，《春秋傳》云會世子于首止，諸侯之子較世子，而晉有大子申生，鄭有大子華；《春秋經》齊世子光，《左傳》云大子光，明古世與大同義是也。室猶大室也。」「樊毅復華下民租田口算碑云『魯不修大室』，《春秋》作譏，又樊毅脩華嶽碑云『世室不脩』，《春秋》作譏，二碑同時所立，或作世，知字本通也。」（頁八「世室屋壞，世室者何？魯公之廟也。」）

案：《校勘記》云：「唐石經、諸本同。《釋文》世室，二傳作大室。《九經古義》云（同焦批「惠氏曰」以下文）。」

(八)焦批：「惠氏曰：《荀卿子》云『怪星之黨見』，黨見猶所見也，楊倞訓黨爲頻，無考；何氏說是。」（頁十一「反黨鄭伯會公于斐，故善之也。」）

(九)焦批：「趙《集傳》：此乃譏其不量事而勞師爾，聞義能止，差能補過，何足大之哉？」（頁十三「其言弗克納，何？大其弗克納也。」）

(十)焦批：「惠氏：按《公羊》主內娶之說，故以子哀書字爲無聞。」（頁十六「宋子哀來奔，宋子哀者何？無聞焉爾。」）

(十一)焦批：「北」「何休音訓同。」（頁十八「內辭也，脅我而歸之，筍將而來也。」）

案：「也」字下至「筍將而來也」，每字硃圈。「北」字批校何注「齊魯以此名之曰筍」之「此」字。《釋文》「筍將音峻」，焦批「何休音訓同」。《校勘記》云：「閩、監、毛本同，誤也。鄂本、蜀大字本，『此「作『北』，《漢制考》同，當據正。《九經古義》云：《史記・張陳列傳》『上使泄公持節問貫高箯輿前』，服虔曰『箯音編，編竹木如今峻，可以糞除也。』韋昭音如頻反，云『如今輿床，人輿以行。』案：服氏云如今峻，峻即筍也，同物同音。《釋文》筍音峻。」

焦批：「《史記・張陳列傳》『上使泄公持節問貫高箯輿前』，徐廣曰『箯音鞭』，服虔曰『箯音編，編竹木如今峻，可以糞除也。』韋昭『音如頻反』云『輿如今輿床，人輿以行。』郭璞《三倉解詁》云『箯轝，土器，音步典切。』案：服氏云『箯如今峻』，峻即筍也，同物同音。小顏云『

形如今之食輿』師古唐人也，豈識漢時篌輿諸說？唯服子愼與何邵公合，蓋目擊之，與耳食異也。」

案：焦批引惠棟《九經古義》文，與阮元《校勘記》詳略有別，可以並參異同。

（十二）焦批：「惠按：動爲拜，非懼也。」（頁二十一「入郛不書，此何以書？動我也。」）

（十三）焦批：「惠按：無尊上，漢律所云罔上不道也，非聖人；漢律所云非聖，無法也。不孝者，《商書》曰『刑三百，罪莫大于不孝。』見《呂覽》，《孝經》云『五刑之屬三千，罪莫大于不孝。』《風俗通》曰『賊之大者，有惡逆焉。決斷不違時，見赦不免；又有不孝之罪，並遍十惡之條，斬首梟之者。』梟當作懸，《玉篇》云『賈侍中云懸謂斷首倒縣也。』野王謂縣首于木竿，以肆大罪秦刑也。云無營上犯軍法者，陳群《新序》云『廄律有乏軍之具，舊典有奉詔不謹，不承用詔書。漢氏施行有小愆之反，不如令輒劾，以不承用詔書、乏軍、要斬胡建。』案：軍法曰『正亡屬將軍，將軍有罪以聞，二千石以下行法焉。』云殺人者刎頸，高祖約法三章，所云殺人者刑也。何氏所據皆本漢律，漢律已亡，舉其大略如此耳。」（頁二十三至二十四「大夫相殺稱人，賤者窮諸盜。」）

十六、《春秋公羊傳註疏．宣公．卷第十五：起元年，盡九年。》（以下第五冊）：

（一）焦批：「《白虎通》云：諸侯諍不從，得去；去曰某質性頑鈍，言愚不任用，請退避賢。如是之是，待以禮。臣待放，君待之以禮，曰予熟思夫子言，未得其道。今子不且留，聖王之制，無塞賢之路，夫子欲何之，則遣大夫送至于郊，所謂君放之，非也；大夫待放，正。」（頁四至五「古者大夫已去，三年待放；君放之，非也。」）

㈡焦批：「惠按：漢律有受賕之條，又有聽請之條。魯賂齊，不當坐取邑；且未之齊而坐者，由齊聽請故也。漢律行言許受賂，亦得坐受賕之條，故舉以況之。」（頁七「曷爲賂齊？爲弒子赤之賂也。」）

㈢焦批：「惠按：《大荒南經》云『南海之外，赤水之西，流沙之東有獸，左右有首名曰跊踢。有三青獸相并，名曰雙雙。』郭璞曰『言體合爲一也，《公羊傳》所云雙雙俱至者，蓋謂此也。』」（頁十四「子公羊子曰：其諸爲其雙雙而俱至者與？」）

㈣焦批：「赫，即驚駭之意，見《毛傳》。」（硃批）（頁十七「趙盾就而視之，則赫然死人也。」）

㈤焦批：「《五經異義》：公羊說妾子爲諸侯，不敢以妾母之喪爲廢事。天子大國出朝會，禮也；魯宣公如齊，有妾母之喪，經書善之。左氏說云妾子爲君，當尊其母；有三年之喪而出朝會，非禮也，故譏魯宣公。（頁二十九「九年春王正月，公如齊。」）案：禮，妾母無服，貴妾子不立而他妾之立者也。不敢以卑廢事尊者，禮也，即妾子爲君義。如左氏，鄭駁云喪服緦麻，庶子爲後其爲母，此義自天子至庶人同，不三年。魯宣公所以得尊其妾母，敬嬴爲夫人者，以夫人姜氏已歸齊不反故也，因是言妾子立母，卒得爲之三年，于禮爲通乎！其服之間，其出朝會，無王事，與鄭伯伐許何異？」

十七、《春秋公羊傳註疏・宣公・卷第十六：起十年，盡十八年。》：

㈠焦批：「《左、穀》作『取繹』，誤。」（頁三「公孫歸父帥師伐邾婁，取蘱。」）

案：阮元《校勘記》云：「唐石經，諸本同。惠棟云：蘱，二傳作繹。」

㈡焦批：「路衢，即逵路，蓋道路通稱，不必以九達、四達爲泥。」（頁八「莊王伐鄭，勝乎皇門，放乎路衢。」）

㈢焦批：「何本『二』作『上』。」

案：此批校何休註「……爲其欲壞楚善行，以求二人。……」阮元《校勘記》云：「鄂本作上，此誤。」

㈣焦批：「惠曰：古文榭本作射，〈弁敦銘〉曰『王格于宣射』是也。劉逵引《國語》云『射不遇講軍實。』今本作榭。《說文》無榭字，經傳通作謝，《荀卿子》曰『臺謝甚高』，〈大誓〉曰『惟宮室臺榭』，《釋文》云『本作謝』，吳射慈亦作謝慈，是射與謝通。摯虞《三輔決錄》注云『漢末大鴻臚射咸本姓謝名服，天子以爲將軍出征，姓謝名服不祥改之，爲射氏名咸，載見《廣韻》。』此由晉時不識古文，曲爲之說，陳壽撰《三國志》，以是儀爲氏儀，孔融所改，亦此類也。」（頁二十五至二十六「夏，成周宣榭災。」）

案：阮元《校勘記》云：「鄂本、閩本同。監、毛本，謝作榭，下及注疏並同。唐石經缺，《釋文》『宣謝災』，左氏作『宣榭』。惠棟云『襄九年疏引作謝，古無榭字，或止作射；周〈弁敦銘〉曰王格于宣射，是也。三傳皆作謝，俗從木；又災，《左傳》作火。』」

十八、《春秋公羊傳註疏．成公．卷第十七：起元年，盡十年。》：

(一)焦批：「《司馬法》：九夫爲井，四井爲邑，四邑爲邱。有戎馬一疋、牛三頭，是曰『匹馬』。邱牛四，邱爲甸，甸六十四井，出長轂一乘，馬四疋、牛十二頭，甲士三人，步卒七十二人，戈盾具備，謂之『乘馬』。」（頁一「三月，作丘甲。何以書？譏。」）

(二)焦批：「鮑子都上言極竭，毣毣退入三泉。如淳曰『謹愿貌』，師古曰『猶蒙蒙也，音沐』，〈檀弓〉『貿貿然來』，《韓詩外傳》『眊眊乎其猶醉』，其文皆同。」（頁二「秋，王師敗績于貿戎。」）

(三)焦批：「古佚字皆作失，詳見《尙書考》。佚又與逸同，《尙書．無逸》，漢石經作佚，《春秋經》曰『肆大眚』，《穀梁》云『肆，失也』，失猶佚也，佚與逸同，謂逸囚。」（頁五「佚，獲也。」）

案：阮元《校勘記》云：「唐石經，諸本同，《釋文》佚音逸，下同，一本作失。《九經古義》云『古佚字皆作失，佚又與逸同。』《尚書．無逸》、漢石經作『佚』，（以下同焦批）。」阮元復按：「漢石經『無逸』之逸作劮。」

(四)焦批：「《左傳》以爲免之，與此異。」（頁六「逢丑父曰：吾賴社稷之神靈，吾君已免矣。」）

案：《公羊傳》下文曰：「郤克曰：『欺三軍者，其法奈何？』曰：『法斮。』，於是斮逢丑父。」

(五)焦批：「土讀曰杜，古杜字皆作土。《周禮》及《司馬法》曰：『犯令陵政則杜之。』注云：『王霸記曰：杜之者，杜塞使不得與鄰國交通。』」（頁八「使耕者東畝，是則土齊也。」）

案：段玉裁《周禮漢讀考》「讀曰」爲假借之例，土、杜音同可互爲假借，無疑。又「犯令陵政則杜之」，見《周禮》卷二十九〈夏官・大司馬〉。

(六)焦批：「何本有『汲』字。」（頁九注「逮于袁婁，而與之盟。」）

案：毛本何休註云：「一言使四國大夫汲追與之盟。」阮元《校勘記》云：「鄂本疊汲字，此脫。」正與焦批同，故宜作「……汲汲追與之盟。」

(七)焦批：「《公羊》作『臤』，《穀梁》作『賢』，本一字也。《說文》『臤，古文以爲賢字』，《漢潘乾校官碑》云：『親臤寶智國三老。』《表良碑》云：『優臤之寵。』今文〈大誓〉云：『優臤揚歷。』是優賢即優臤也，《玉篇》又引作『緸』，緸與堅同，臤亦爲古堅字，堅又與賢通。《東觀漢記》云：『陰城公主名賢得。』《續漢書・天文志》作『堅得』，疑古堅字、賢字皆省作臤，《公羊》從古文作『臤』，《穀梁》以爲『賢』，《左氏》以爲『堅』，師讀各異故也。」（頁十四至十五「三月壬申，鄭伯堅卒。」）

案：阮元《校勘記》亦云：「唐石經、諸本同。《釋文》作『伯臤』，云：『本或作堅。』解云：「《左氏》作堅字，《穀梁》作賢字，今定本亦作堅字。」按：云定本亦作堅，與《左氏》同；然則，疏本作臤，與《釋文》同也。《九經古義》云（焦批所引與此同）。」

(八)焦批：「宋本『江』作『河』。」（頁十五「梁山崩，梁山者何？江上之山也。」）

案：阮元《校勘記》云：「唐石經、鄂本、閩本同（作「河上之山也」）。監、毛本『河』作『江』，誤也。」

十九、《春秋公羊傳註疏・成公・卷第十八：起十一年，盡十八年。》（以下第六冊）：

(一)焦批：「《世本》曰：『郤豹生義，義生步揚，步揚生州，州即犨也。』與《公羊》合，《左氏傳》『魏武子犨』，《世本》亦作『州』，司馬貞曰：『州、犨聲相近，字異耳。』」（頁一「晉侯使郤州來聘。己丑，及郤州盟。」）

案：阮元《校勘記》云：「唐石經、諸本同。《釋文》：『郤州，本亦作犨。』《九經古義》云（焦批與此同）。」

(二)焦批：「唉《集傳》：『二傳不知時有叔肹子公孫嬰齊，故此稱仲以別之，義故妄說耳。』」（頁五「仲嬰齊者何?公孫嬰齊也。」）

(三)焦批：「公作叔。」（頁七「宣公死，成公幼；臧宣公者，相也。」）

案：阮元《校勘記》正云：「閩、監、毛本同，誤也。」鄂本作『臧宣叔』，宣十八年疏引此傳同，當據正。唐石經缺。」

(四)焦批：「何本作『博人』。」（地腳）（頁十八「郊用正月上辛。」，註「魯郊傳卜」。）

案：《校勘記》云：「鄂本、閩、監本同（作「魯郊博卜」）。此本疏標起訖亦作博，毛本誤作傳，疏同。按：博卜者，廣博卜三月也。浦校本作『轉卜』，非。」

㈤焦批：「《五經異義》：『《春秋公羊》說禮郊及日，皆不卜，常以正月上下也。魯于天子並事變禮，今成王命魯使卜郊不從，即以下天子也。魯以上辛郊，不敢與天子同也。』」（頁十八「或曰：用然後郊。」）

㈥焦批：「古彭、旁通用，旁與鮁同音，故亦作彭，聲之誤也。」（頁二十三「晉侯使士彭來乞師。」）

案：《校勘記》：「《釋文》『士彭，二傳作士鮁，襄十二年同。』」假借通用。

二十、《春秋公羊傳註疏．襄公．卷第十九：起元年，盡十一年。》：

㈠焦批：「何校本有『書』字。」（頁十一「蓋欲立其出也。」註）

案：何休註「主者善之」，焦批據校本以爲「主」字後有「書」字。《校勘記》亦云：「監、毛本同。閩本作『書者善之』，鄂本作『主書者善之』，閩、監、毛本互脫一字。」

㈡焦批：「史游《急就章》：『疻痏保辜謕呼號。』師古曰：『保辜者，各隨其狀輕重，令歐者以日數保之，限內致則坐重辜也。』《漢書．功臣表》云『昌武侯單德，元朔三年坐傷人，二旬內死棄市。』然則，保辜以二旬爲限歟?以平人言之，限內當以殺人論之；漢律所云『傷人抵罪』是也。服虔曰：『抵罪者，隨輕重制法。』李奇曰：『傷人有曲直，罪名不可豫定。』故漢律又云：『見《薛宣傳》：鬥以刃傷人，完爲城旦，其賊加罪一等，與謀者同罪。』是輕重制之義也。」（頁十七「傷而反未至乎，舍而卒也。」）

案：焦循此批爲註、疏說解。

㈢焦批：「《古今人表》作『福陽』，知古音福。《穀梁、漢書・地理志》及《續漢志》皆作『傅陽』。惠曰：『古福字亦讀作副。《豫州從事尹宙碑》云：「位不福德。」是也。』傅本古敷字，今讀作副。」（頁二十一「夏五月甲午，遂滅偪陽。」）

案：惠棟說見所著《九經古義》。《校勘記》云：「唐石經、諸本同。《釋文》：『偪音福，又彼力反。』解云：『《左氏經》作偪字，音夫目反，一音逼近之逼。』《左氏音義》：『偪陽，徐、甫目反，又彼力反；或作逼。』按：《左氏經》當本作『福陽』，《穀梁》作『傅陽』。」

㈣焦批：「晉作致，若上有使字。」（地腳）（頁二十一「公至自會。」）

案：見注：「例不當書晉，書致者，深諱。若公與上會，不與下滅。」《校勘記》正云：「鄂本晉作致，此誤。鄂本諱下有使字，此脫。按：正義本有使字。」

㈤焦批：「鄭地，在滎陽。隱元年傳謂之『京城大叔』是也。亳城無考，此傳寫之訛，當從《公、穀》是正。」（頁二十六「秋七月己未，同盟于京城北。」）

案：見惠棟《九經古義》。《校勘記》云：「唐石經、諸本同。解云：『《穀梁》與此同。《左氏經》作亳城北，服氏之經，亦作京城北。』」

二十一、《春秋公羊傳註疏・襄公・卷第二十：起十二年，盡二十四年。》：

㈠焦批：「何本作『三』。」（頁一「十有二年，春，王正月。」）

案：今本作「春，王三月」，阮元云：「唐石經、鄂本、閩本同。監、毛本，誤三。」

㈡焦批：「《考工・梓人》云：『數目顧脰。注云：『故書顧或作牼。鄭司農云：「牼，讀爲鬜頭無髮之鬜。」』是牼有䶣音，故或作䶣。劉昌宗《周禮音》云：『牼，音苦顏反。』今《左傳》音苦耕反，非也。」（頁十二「邾婁子䶣卒。」）

案：焦批鈔見惠棟《九經古義》，《左傳》作「邾子牼卒」。《釋文》云：「䶣，音閑；或下奸反。《左氏》作牼。」

㈢焦批：「《說文》：『炗，古文光；灮，古文黃。』字相似。《白虎通》云：『璜之爲言光也。』《風俗通》云：『黃，光也。』」（頁十八「陳侯之弟光，出奔楚。」）

案：亦見惠棟《九經古義》。《釋文》云：「弟光，《左氏傳》作『弟黃』。」

㈣焦批：「古鼻、畀同音。」（頁二十「夏，邾婁鼻我來奔。」）

案：《釋文》云：「鼻我二傳作『畀我』。」

二十二、《春秋公羊傳註疏・襄公・卷第二十一：起二十五年，盡三十一年。》：

(一)焦批：「啖《集傳》：『夫褒而字之，但為有殊異之美者，非謂賢者常不名。』」（頁十七「《春秋》賢者不名。」）

(二)焦批：「惠按：『古佞讀為壬，故《晉語》：「輿人誦云：佞之見佞，果喪其田。」佞與田協，是讀為年，殊不知年讀為寧，田讀為陳，故《詩・信南山》云：「畀我尸賓，壽考萬年。」然《公羊》不作壬而作年，何也？《詩・甫田》云：「倬彼甫田，歲取十千；我取其陳，食我農人。」自古有年，是陳讀為田，年讀如字。』」（頁十九「天王殺其弟年夫。」）

案：《釋文》：「年夫音佞，又如字，二傳作『佞夫』。」

(三)焦批：「《五經通義》：『夫無爵又無（蠹蝕）謚。或曰：「夫人有謚。」夫人，一國之母，修閨門之內，則下以化之，故設謚章其善惡。《公羊》曰：「葬宋共姬。」稱其謚，賢之也。卿、大夫妻，命婦也，無謚者以賤也。妾無謚，亦以卑賤無所能與！猶士卑小不得謚也。』」（頁二十至二十一「婦人夜出，不見傅母不下堂。」）

二十三、《春秋公羊傳註疏．昭公．卷第二十二：起元年，盡十二年。》

（以下第七冊）：

(一)焦批：「惠按：古祥字皆作詳。《易．履．上九》『視履考祥』，《釋文》云：『本又作詳。』《尚書．君奭》云：『其終出于不祥。』蔡邕《石經》云：『其道出于不詳。』〈呂刑〉：『告爾祥刑。』《後漢．劉愷傳》引作『詳刑』。鄭氏《周禮．注》亦云：『度作詳刑，以詰四方。』皆古祥字，故《左傳》『祲祥』，服虔引《公羊》作『詳』；今《公羊》作『侵羊』者，《春秋繁露》云：『羊之爲言猶祥。』與鄭衆《百官六禮辭》亦云：『羊者，祥也。』疑古祥字皆省作羊。詳，善也。鄭注〈車人〉亦云『羊，善也。』祥亦訓善，見《說文》。」（頁二十四至十五「仲孫貜會邾婁子，盟于侵羊。」）

案：焦批所引「惠按」，見惠棟《九經古義》。《校勘記》云：「唐石經、諸本同。《釋文》『侵羊』，二傳作『祲祥』。疏本作『盟于浸羊』，解云：『《穀梁傳》作侵祥字，服氏注引者直作詳，無侵字，皆是所見異也。』」

(二)焦批：「《左傳》『厥憖』，徐仙民音『五巾反』，《說文》：『憖讀若銀。』又云：『憖，從心猌聲。』《公羊》本口授，故以厥爲屈，憖爲銀，字異而音同。《公羊》『厥』字皆作『屈』。」（頁二十五「秋，季孫隱如會……曹人、杞人于屈銀。」）

案：此亦見於惠棟《九經古義》。《釋文》：「屈銀，二傳作厥慭。」

二十四、《春秋公羊傳註疏．昭公．卷第二十三：起十三年，盡二十二年。》：

㈠焦批：「趙《集傳》：此本是列國，今改過復其所耳，何名專封？」（頁五「不與諸侯專封也。」）

二十五、《春秋公羊傳註疏．昭公．卷第二十四：起二十三年，盡三十二年。》：

㈠焦批：「惠按：《漢律》『年未滿八歲，非手殺人，他皆不坐罪。』尹氏者，《漢律》所謂『率』也。張斐《律表》曰：『判眾建計之率。』《漢書．萬石君傳》：『上報不慶曰孤兒，幼年未滿十歲，無罪而坐率。』服虔曰：『率，坐刑法也。』如淳曰：『率，家長也。』何氏法王子朝奔楚，下云明本在尹氏，當先誅渠率，後治其黨。《鹽鐵論》曰：『《春秋》刺譏不及庶人，責其率也。』」（頁五「尹氏立王子朝。」）

案：參見惠棟《九經古義》。

㈡焦批：「啖《集傳》：『雩，但禮官與女巫而已，何足攻季氏乎？』」（頁八「聚眾以逐季氏也。」）

㈢焦批：「薛。」（頁二十五「秋，葬晉獻公。」）

案：《校勘記》云：「唐石經、宋本同。閩、監、毛本，薛誤晉。」

㈣焦批：「《荀子・正論篇》曰：『食飲則重大牢，而備珍怪，期臭味。』楊倞注：『珍怪，奇異之食。』」（頁二十七「有珍怪之食。」）

二十六、《春秋公羊傳註疏・定公・卷第二十五：起元年，盡五年。》：

㈠焦批：「《發墨守》云：『孝子祭祀，雖致其誠信與其忠敬而已，不求其爲而祝尸，古假主人曰皇尸，命工祝承致以福。無疆于女，孝孫來女，孝孫使女；受祿于天，宜稼于田。眉壽萬年，勿替引之。若此祭祀，內盡己心，外亦有祈福之義也。』」（頁九「立煬宮。」）

㈡焦批：「獨。」（頁九「何以書？記異也。」）

案：注「菽，大豆，時猶殺菽，不殺他物，故爲異。」《校勘記》云：「閩、監、毛本同，誤也。鄂本『猶』作『獨』，解云：『知獨殺菽，不殺他物者，當據以訂正。』」

㈢焦批：「古讀皋爲浩，讀鼬爲油，《鹽鐵論》又作『誥鼬』，《爾疋・釋訓》云：『皋皋琄琄，刺素食也。』樊光本『浩浩琄琄』。」（「五月，公及諸侯盟于浩油。」）

案：《鹽鐵論》以下，本惠棟《九經古義》。《校勘記》云：「唐石經、諸本同。《釋文》『浩油』，二傳作『皋鼬』。」

㈣焦批：「《荀子・大略篇》：『天子彫弓，諸（侯）彤弓，大夫黑弓，禮也。』嬰弓無考，盧弓即黑弓，《春秋傳》謂之『旅弓』。《詩・行葦》云：『敦弓既堅。』敦音彫，《毛傳》『天子敦弓』，蓋本《荀卿子》，《正義》引何休注以爲事不經見，未之考也。」（頁二十一「伍子胥父誅乎楚，挾弓而去楚。」）

案：焦批所以補何休注「禮：天子雕弓，諸侯彤弓，大夫嬰弓，士盧弓。」之未詳。

㈤焦批：「趙《集傳》：『若實如此，則但不列序，何不言諸侯歸粟于蔡？若諸侯歸之而云爾，則魯白歸之，如何爲文乎？』」（頁二十五「夏，歸粟于蔡。」）

二十七、《春秋公羊傳註疏・定公・卷第二十六：起六年，盡十五年。》

（以下第八冊）：

㈠焦批：「（首行蠹蝕）二名（蠹蝕二字）字作名，若魏曼多也。《左氏》說二名者，楚公子弃殺其君，即位之後改爲熊君，是（蠹蝕三字）。謹案：文武賢臣有散宜生，蘇忿生，則《公羊》之說非也，從《左（蠹蝕）》義。」（頁一「仲孫忌譏二名，二名非禮也。」）

㈡焦批：「惠曰：『此事並見《說苑・家說》及《韓詩外傳》。《續漢書・律歷志》云：「昔仲尼順假馬之名，以崇君之義。」近人不考，以《論語》有馬者借人乘當之，誤之甚者。』」（頁八至九「龜青純。」）

案：何注云：「定公從季孫假馬，孔子曰：『君之於臣，有取無假，而君臣之義立。』……」焦批引惠棟《公羊古義》之說，所以正訛誤。

㈢焦批：「王愆期注：『諸儒皆以爲雉長三丈，堵長一丈，疑五誤爲三。』」（頁十六「五堵而雉。」）

案：王愆期注《公羊》，見《詩・鴻雁・正義》所引。據此，則「五堵而雉」，應作「三堵而雉」。唯唐石經、諸本皆同作「五堵而雉」。

㈣焦批：「石經作『曼也』。」（頁二十四「曷爲不言其所食？漫也。」）

案：《校勘記》云：「鄂本、閩、監、毛本同。唐石經、元本『漫』作『曼』。按：《釋文》作『漫也』。」

二十八、《春秋公羊傳註疏・哀公・卷第二十七：起元年，盡十年。》：

㈠焦批：「熊明來云：『《詩》云：「爾之安行，亦不遑舍。」與車、盱協，知舍讀作舒。』」「惠曰：『《史（蠹蝕）記・律書》云：「舍者，日月所舍（二字蠹蝕）；名舍者，舒氣也。」是舍有舒義，故有舒音。』」（頁十五「齊陳乞弑其君舍。」）

案：惠棟說見《九經古義》。又《釋文》云：「君舍，二傳作荼，音舒。」

二十九、《春秋公羊傳註疏・哀公・卷第二十八：起十一年，盡十四年。》：

㈠焦批：「孔舒元《公羊傳》本云：『十有四年，春，西狩獲麟，何以書？記異也。今麟非常之獸，其爲非常之獸奈何？有王者則至，無王者則不至。然則，孰爲而至？爲孔子之作《春秋》。』孔穎達曰：『何休注《公羊》，無作《春秋》之事。』案：孔氏本是有成文。惠云：『蔡邕《石經》云：「何以書，記異也，何異……」云云，與今本合。』」（頁十「十有四年春，西狩獲麟。」）

案：孔舒元說見《春秋左氏傳・序・正義》所引。《校勘記》云：「唐石經、諸本同。杜氏《春秋左傳・序》云：『《春秋》之作，《左傳》及《穀梁》無明文。』《正義》曰：『今驗何注《公羊》，亦無作《春秋》事。』」

(二)焦批：「唐石經『麏』作『麇』，郭璞引此傳與石經同。蔡邕《石經》作『麇』。董仲舒《春秋決獄》曰：『君獵得麑，使大夫持以歸，大夫道見其母隨（蠹一字），則感而縱之。君慍，議（蠹二字）定，君詞恐死，欲在孤幼，乃覺之。大夫其仁乎？遇麑以恩，況仁乎！乃釋之，以為子傅，于議何如？』」「劉兆曰：『麇，獐也。』」

案：《校勘記》云：「唐石經同。閩本『麇』字剜改囷作君。監、毛本承之，非也。《釋文》作『麏』，云：『本又作麇，亦作麇。』按：《隸釋》載漢石經作『麕』，即『麇』之隸變。《爾雅・釋獸》：『麟麇身牛尾。』郭注引《公羊傳》曰：『有麇而角』，是古本作麇也。《石經考文提要》云：『宋景德本、鄂泮官書本皆作麇。』」（頁十三「有以告者曰：有麇而角者。」）

(三)焦批：「漢石經『逮』作『遝』，《說文》『遝，迨也』，《玉篇》『迨遝，行相及（蠹三字），非跛。』又目部『眔目（蠹二字），目從逮省。』《方言》云『（蠹一字）遝，及。東齊曰迨，關之東西曰遝，或曰及。』」（頁十六「祖之所逮聞也。」）

案：說見惠棟《九經古義》。《校勘記》云：「唐石經、諸本同。《隸釋》載漢石經『逮』作『遝』。」

㈣焦批：「顏安樂云：『從襄二十一年以後，孔氏生訖，即爲所見之世。』」（頁十七「所傳聞異辭。」）

結語

檢視焦循手批《春秋公羊傳註疏》全文，大致可以據此追蹤清乾嘉之際樸學的學術樣貌。基本上，焦循校改毛晉汲古閣本中有關形、音、義的訛誤與失當，正本字，考音讀，歸義理，原本有據；引證專家之說，不誣不妄。此一精審的考據功夫與成果，足與阮元《校勘記》等量齊觀，並且可以補阮記的闕漏與違失，有核校匡遺之功。

眉批中大量引用《五經異義》，此書原爲東漢許愼撰，共十卷。原書已佚，僅散見於徐堅《初學記》、杜佑《通典》及李昉《太平御覽》等書；清人王復有輯本一卷，並附鄭玄《駁五經異義》一卷；陳壽祺撰有《五經異義疏證》、皮錫瑞亦有疏證之作，皆可並焦循眉批所見校其異同，藉以考察今文經學與古文經學的不同內容。

此外，焦循又廣泛運用清儒惠棟《九經古義》資料，以檢證《公羊傳》諸多的考據問題，具有擷取時儒先輩學術菁華的洞鑒，充分反映出焦循博觀約取的學術客觀精神。案：《九經古義》凡十六卷，包含《周易、尚書、毛詩、周禮、儀禮、禮記、左傳、公羊傳、穀梁傳、論語》十種，其中《左傳》六卷後刊版別行，故惟存其九；是書大抵蒐採舊文，互相參證，精核者多，漢儒專門訓詁之學於今得以考見，可與王應麟《詩考》、鄭氏《易注》諸書並重。惠棟開吳派漢學一脈，焦循兼容並蓄，故能大其學，而廣其識。

手批全稿既披露如上，《左傳》部分亦將從事，二傳合觀，則焦循之《春秋》學，可以溯源探本，知其宗始，而學之者有所啓發，益見其用心，可爲後學學術進程之資佑。

從湖北郭店楚簡〈禮記・緇衣〉看今本形成的原委

邱德修

壹、前　言

民國八十二年冬天，大陸湖北省荊門市・郭店一號戰國楚墓出土乙批楚簡，雖屢經遭人盜擾，仍幸存八百餘枚竹簡。其中有些無字簡，有學者經整理後加以統計，共得七百三十枚，大體完整無闕，未能拼合的小碎片也爲數不多。此其中存有〈禮記・緇衣〉乙篇，內容與今本《小戴禮記・緇衣》大體脗合，但兩者的分章及章目次第卻差別甚大，文字亦頗爲參差。兩相校勘，可以發現今本〈緇衣〉的若干錯誤，亦足以證明《禮記・鄭注》乙書確爲彌足珍貴的著作。

郭店楚墓位於紀山古代楚墓群中。透過歷年的考古鑽探及其出土資料證明，這裡是一片東周時期楚國貴族的族葬地區，其南面約九公里遠之所在，便是東周時代楚國的都城——紀南城（郢）。即地望而言，這些墓葬主人與紀南城脫不了關係。郭店一號楚墓係一座土坑豎穴木槨墓，其中殘存有銅鈹、龍形玉帶鉤、七弦琴、漆耳杯、漆奩等歷史文物。就這批文物的造型、樣式及其花紋都具有十分明顯的戰國時期楚文化的特質及其風格。考古發掘者據此推斷該墓葬之年代爲戰國中期偏晚①。其說若然，那末，郭店楚簡的年代下限應略早於墓葬年代，亦即屬於戰國中期的作品。

愚治《三禮》多年，何其幸運得以目睹這筆〈緇衣篇〉的新材料，天天籀讀再三，凡有所得輒記於簡冊之旁，久而久之，朱墨爛然，甚爲可觀。後來草成《湖北·郭店楚簡〈緇衣篇〉研究》乙書。時逢劉師正浩七十華誕之嵩壽，將其中部分抽繹出來，單獨成篇，付諸梓人，以爲祝賀。

今本《禮記·緇衣》乙篇，顯然係承襲自簡本〈緇衣篇〉而來，且夫經過今本〈緇衣〉之作者依照著簡本爲藍圖，加以增益而成的作品。也可以這麼說，沒有戰國中期的〈緇衣篇〉，也就沒有今本〈緇衣篇〉的存在了。由於簡本的出土，讓我們對《禮記》所收篇章的形成之原委，多了一分彌足珍貴的實物資料。對於研究《禮記》而言，是不可多得的寶貝。這個寶貝沈睡在地下數千年之久，終於被發掘出來，使我們得以一飽眼福之外，還可以爲《禮記》的研究注入一股新的力量。

從簡本〈緇衣〉及今本比較結果，我們分以下數方面來加以論述，藉以突顯出它的重要性及其可貴性。

由於生性駑劣，學殖荒疎，其中不周之處，固所難免，諸希國內鴻儒，海外碩彥，有以教之，則幸甚幸甚！

貳、改變字詞

今本〈緇衣篇〉往往在簡本既有的基礎上改變字詞，以滿足今本作者的需求，或是「古文」與「今文」對譯的關係，或是爲避諱的緣故，導致字詞改變的現象。例如：

△簡本第一章作「夫子曰」；

今本作「子曰」；

簡本「好媺（美）如好〈茲（緇）衣〉」；

今本作「好賢媺〈緇衣〉」；改「美」作「賢」，又將下「好」字省略。

簡本引《詩》作「萬邦乍（作）孚」；

今本引《詩》作「萬國作孚。」爲了避漢高祖「劉邦」的諱，改「邦」爲「國」。

△簡本第二章「寧好章亞（惡）」；

今本作「章義癉惡，」；

改「好」爲「義」，變「章」爲「癉」。

簡本「以視民厚」，今本作「以示民厚」；「視」與「示」爲與古字的問題。

第四章「章好以視民忩（欲）」；今本作「章好以示民俗」，其中「視」與「示」爲古今字。

簡本引《詩》作「情（靖）共爾立」；

今本引《詩》作「請共爾位」；「立」與「位」爲古今字。

△簡本第三章引《詩》作「其義（儀）不弋（忒）」；

今本引《詩》作「其儀不忒」；其中「義」與「儀」，「弋」與「忒」爲古今字。

△簡本第四章「慬（謹）亞（惡）以洣（禁）民涇（淫）」；

今本作「愼惡以御民之淫」；凡簡本作「謹」字，今本則作「愼」字，下同此。簡本用「洣（禁）」

今本用「淫」字。

△簡本第五章引《詩》作「不自爲貞」；

今本引《詩》作「不自爲正」；今本易「貞」爲「正」字。

簡本引〈君牙〉作「日傛雨」；

今本作「夏日暑雨」；今本易「傛」爲「暑」字。

又簡本「晉冬旨（耆＝祁）滄（寒）」，今本作「資冬祈寒」；今本易「晉」爲「資」字。

凡此種例子，所在多有，不勝枚舉。本書止在發凡起例，略舉一二而已。

叁、擴充字句

今本〈緇衣篇〉往往就簡本原有字句結構的基礎上加以擴充，使原本簡潔的句子變爲繁富多樣化，或使之對仗化，變成更爲強而有力的句子。例如：

△簡本第一章作「則民臧（臧）拀（役），而型（刑）不屯」；今本則將之擴充作「則爵不瀆而民作愿，刑不試而民咸服」了。

△簡本第四章作「臣事君，言其所不能，不訂（詞）其所能，則君不裳（勞）」；今本則將之擴充作「臣儀行，不重辭，不振其所不及不煩，不煩其所不知，則君不勞矣」了。

△簡本第五章作「民以君爲心，君以民爲體」，今本則加以擴充作「民以君爲心，君以民爲體；心莊則體舒，心肅則容敬」，成爲對仗的句子。

又簡本「古（故）心以體法，君以民芒（亡）」，今本則加以擴充作「心之體全，亦以體傷；君以民存，亦以民亡」，遂成爲對仗而優雅的句子。

△簡本第六章作「古（故）倀（長）民者，章志以邵（昭）百眚（姓），則民至（致）行 （己）以敚（悅）上」；今本加以擴充之作「故長民者，章志、貞教、尊仁，以子愛百姓，民致行己，以說其上矣」；遠較簡本爲複雜的句子。

△簡本第十一章「大臣不親也」，今本作「大臣不親，百姓不寧」；

又簡本「此以大臣不可不敬，民之蕝也。故君不與小謀，則大臣不悁（怨）」；今本擴充作「故大臣不可不敬也，是民之表也；邇臣不可不慎也，是民之道也。君毋以小謀大，毋以遠言近，毋以內圖外，則大臣不怨。邇臣不疾，而遠臣不敬矣。」今本多出簡本三十三字，益爲繁富矣。

△簡本第十七章作「言從行之，則行不可匿」，今本擴充作「言從而行之，則言不可飾也；行從

而言之，則行不可飾也」。今本則多出簡本十二個字。

以上數則，都是今本〈緇衣〉依據簡本爲基礎加以擴充字句，使之符合改編者所要詮釋意思的句子之實例。

肆、溢引《詩》《書》

簡本〈緇衣〉與今本每章之末多有引用《詩經》或《尚書》，藉以證成其說的慣性與成例，唯今本〈緇衣〉引《詩》也好，引《書》也好，往往比簡本所引用者溢出許多字句來。例如：

△簡本第五章引《詩》作「隹（誰）秉宬（國）成，不自爲貞，卒裳（勞）百青（姓）」；今本則在簡本此句之上加引了五句作：「昔吾有先正，其言明且清，國家以寧，都邑以成，庶民以生」；爲今本《毛詩》所無的句子，陸德明《釋文》以爲係《逸詩》之餘緒爾。統計結果，今本溢出簡本二十二個字之多。

△簡本第九章引《詩》作「其頌（容）不改，其言又（有）「（乙），利民所信」；今本引《詩》擴大作「彼都人士，狐裘黃黃，其容不改，出言有章；行歸于周，萬民所望。」今本溢出簡本十二個字。

△簡本第十二章引《尙書・呂刑》作「非甬（用）臸，制以刑，惟作五虐之刑曰法」；今引〈呂刑〉作「苗民匪用命，制以刑，惟作五虐之刑曰法。是以民有惡德，而遂絕其世也」；今本引《書》溢出簡本十四個字之多。

此外，簡本第二十三章並無援引〈兌命〉與《周易》，而今本則擴大引之：例如其引《尚書・兌命》作：

> 爵無及惡德，民立而正，事純而祭祀，是爲不敬。事煩則亂，事神則難。

此條爲簡本所無，係今本溢引而有者，較簡本多出二十九個字。之後又援引《周易》曰：

> 不恆其德，或承之羞，恆其德偵：婦人吉，夫子凶。

此條爲簡本所無，係今本溢引而有者，較簡本多出二十個字。

總之，簡本引用《詩》、《書》貴在簡要，而今本援引《詩》、《書》耑在繁瑣。正好可以反映出儒家乙派對《詩》、《書》所作的詮釋已有顯著地改變。

伍、簡本用「曰」用「云」頗為一致今本則參差不齊

簡本〈緇衣〉用「曰」用「云」體例頗爲一致，而今本用「曰」用「云」非常隨性因而顯得參差不齊了。簡本稱引「夫子」或「子」的話，一律用「夫子曰」、「子曰」，自第一章至第二十三章一律如此，絕無例外。其稱引《詩經》、《尚書》一律用借「鼎」爲「云」，獨第十七章逕用「云」字而已。唯今本〈緇衣〉「子曰」用「曰」體例是一致的，不過稱引《詩》、《書》時，則或用「曰」或用「云」，則信手拈來，毫無章法可言。爲了清楚起見，表列如下，以供比較：

第一章：〈大雅〉曰：

第二章：《詩》云；
第三章：〈尹吉（誥）〉曰：《詩》云；
第四章：《詩》云，〈小雅〉曰；
第五章：《詩》云，〈君雅〉曰；
第六章：《詩》云；
第七章：《詩》云，〈甫刑〉云，〈大雅〉曰；
第八章：◯
第九章：《詩》云；
第十章：〈君陳〉曰；
第十一章：〈顧命〉曰；
第十二章：〈甫刑〉曰；
第十三章：〈康誥〉曰，〈甫刑〉曰；
第十四章：◯
第十五章：《詩》云；
第十六章：《詩》云，〈大雅〉曰；
第十七章：《詩》云，〈小雅〉曰，〈君奭〉曰；

第十八章：〈君陳〉曰，《詩》云；
第十九章：〈葛覃〉曰；
第二十章：《詩》云；
第二十一章：《詩》云；
第二十二章：《詩》云；
第二十三章：《詩》云，〈兌命〉曰，《易》曰。②

全篇二十三章，只有第八與第十四兩章未稱引《詩》、《書》，其餘所在多有。我們統計結果，用「曰」者凡十七次，用「云」者凡十六次，幾乎是各佔一半的比率。如此看來，今本〈緇衣〉「曰」、「云」互用或混用的比率相當地高，也不似簡本那樣純粹了。換言之，簡本幾經後人傳抄，用「曰」或用「云」，已是率性而為，毫無規範可言。

陸、今本稱引《詩》《書》與簡本前後互倒例

簡本〈緇衣〉稱引《詩》、《書》的次第往往與今本不同，經常發生簡本在前者而今本置於後，簡本在後者今本置於前的現象，可能抄者隨意互倒，也可能師承有別，也可能版本不同所致。例如：

△簡本第三章先引「《詩》云」，再引「〈尹誥〉云」；而今本則顛倒成先引「〈尹吉（誥）〉曰」，然後再引「《詩》云」了。又如：

△簡本第七章先引「《詩》云」，再引「〈呂刑〉云」；而今本則先作「〈甫刑〉云」，然後再引「〈大雅〉曰」，成爲簡本與今本的次第互爲顚倒了。又如：

△簡本第十八章，先引「《詩》云」，再引「〈君陳〉云」；唯今本則先稱引「〈君陳〉曰」，然後再引「《詩》云」。兩者亦呈互相顚倒的現象，造成了互相交錯的局面。

總之，簡本援引《詩》、《書》所安排的次第，與今本所援引的次第，往往會有互相顚倒、或前後錯置的現象。這也是簡本與今本不相同的地方。

柒、章次的安排簡本與今本不同

〈緇衣〉全篇章次的安排，今本與簡本所羅列之次第完全不同，爲了清楚起見，表列於下，以明其紛歧：

簡本第一章──今本第二章

簡本第二章──今本第十一章

簡本第三章──今本第十章

簡本第四章──今本第十二章

簡本第五章──今本第十七章

簡本第六章──今本第六章

簡本第七章‖今本第五章

簡本第八章‖今本第四章

簡本第九章‖今本第九章

簡本第十章‖今本第十五章

簡本第十一章‖今本第十四章

簡本第十二章‖今本第三章

簡本第十三章‖今本第十三章

簡本第十四章‖今本第七章前半

簡本第十五章‖今本第七章後半

簡本第十六章‖今本第八章

簡本第十七章‖今本第二十四章

簡本第十八章‖今本第十九章

簡本第十九章‖今本第二十三章

簡本第二十章‖今本第二十二章

簡本第二十一章‖今本第二十章

簡本第二十二章‖今本第二十一章

簡本第二十三章‖今本第二十五章③

凡此二十三章之中，其中相同者只有第六、第九、第十三，總計三章而已，其餘章次都是參差不齊，更迭甚多。可見今本雖架構在簡本〈緇衣〉之上，唯對章次的安排則起了很大的變動。這是今本與簡本〈緇衣〉最大歧異的地方。經過兩相對照，我們依舊覺得簡本〈緇衣〉章次的安排較今本爲理想，倘若沒有簡本的出土，反而會誤認爲今本的章次，就是其本初的原貌。今得見簡本的出土，遂使過去的錯覺得以糾正過來。以微觀著，今本《禮記》與古本《禮記》最大的不同之處，有可能都在章節的安排上面。也有可能經師講經，任由個人好惡，隨章拈來，即說將起來，學生筆記成篇，往往也就是隨著經師的安排而論定其篇次，才會造成今本與簡本〈緇衣〉於章次安排先後上出現如此巨大的差異。這種巨大差異性，係研究《禮記》乙書之人所不可不知道的。

從簡本與今本的對照來看，簡本經師所講的理路似乎比今本經師講經的理路要來得清楚許多。從這些章次安排的不同，也彰顯出戰國中葉至秦末漢初思想層次的一大轉變。這種轉變誠有賴我們再作進一步深層探索，或可明白其究竟的地方。

捌、今本增益篇章

今本〈緇衣〉增益篇章的地方有二，第一是首章，第二是今本第十五章後大半部。這兩個地方，都是簡本〈緇衣〉所未蒐羅的部分。可能戰國中葉的〈緇衣〉本無這兩部分，到了秦末漢初爲今儒所增益進去的。也可能簡本〈緇衣〉抄者於抄書過程所遺漏，也有可能是簡本抄者所刪節，以致不見於簡本。後二者的可能性不大，最有可能是後儒所增益而成的。

茲將簡本〈緇衣〉所無之部分，抄錄如下，以明其異同：

今本〈緇衣〉第一章云：

> 子言之曰：「爲上易事也，爲下易知也，則刑不煩矣。」[4]

《鄭注》：「言君不苛虐，臣無姦心，則刑不可以措。」[5]此章體例，與其後二十多章不同，到了唐，陸德明也起了疑心，他說：

> 「子言之曰」，此篇二十四章，唯此一「子言之」，後皆作「子曰」。[6]

由於稱引「夫子曰」的稱法，一作「子言之曰」，一作「子曰」，彼此前後不聯貫，不一致，引起了陸氏的疑心。而這種疑心是對的，是正確的，正好反映出此章係後儒所增益，而非簡本〈緇衣〉所原有者。因此，其稱引之法與全篇前後截然不同。

第二，今本於第十五章後半，增益了一大段文字；其文曰：

> 子曰：「小人溺於水，君子溺於口，大人溺於民，皆在其所褻也。夫水近於人而溺人，德易狎而難親也，易以溺人。口費而煩，易出難悔，易以溺人。夫民閉於人而有鄙心，可敬不可慢，易以溺人。故君子不可以不慎也。」
>
> 〈太甲〉曰：「毋越厥命，以自覆也，若虞機張，往省括于厥度則釋。」

〈兌命〉曰：「惟口起羞，惟甲冑起兵；惟衣裳在笥，惟干戈省厥躬。」
〈太甲〉曰：「天作孽，可違也；自不孽，不可以逭。」
〈尹吉（誥）〉曰：「惟尹躬天見于西邑夏，自周有終，相安惟終。」⑦

以上一大段文字，也是簡本〈緇衣〉所無。文末兩度引到《尚書・太甲》，於《尚書・兌命》，《尚書・尹誥》則各引乙次。由知，作此章者爲熟闇於《尚書》之儒者所作，然後將其附益於今本〈緇衣〉第十五章之後大半段。作者四次援引《尚書》之文獻，其存古之功尤不可沒。唯今得簡本〈緇衣〉之出土，兩相比對之結果，得知此一大段文字係簡本原所未收者也。

玖、結　語

簡本〈緇衣〉之出土，對我們瞭解今本〈緇衣〉篇章的生成，具有莫大的幫助。尤其是今本係以簡本爲基礎，加以架構而成的，是顯而易見之事實。

綜上所論，今本〈緇衣〉係依據簡本爲藍圖增益而成是絕對沒有問題的。這一方面可以瞭解到《禮記》四十九篇，每篇中每一章生成的經過，使後人能夠明白今本《禮記》與先秦本《禮記》的差異性之所在。另一方面也啓示了我們儒家經典的組合原本就像滾雪球一般越滾越大，越到後來越俱規模的眞相，得到了實證。如果沒有《郭店楚簡》的〈緇衣篇〉之出土，這些眞相實在很難具體化，實證化（詳拙作《周禮源流》）⑧；如今有了這筆絕妙的材料，我們終於將過去的推理所得，有了地下新材料得以徵實，誠爲學術界乙樁盛事。如此看來，《郭店楚簡》確實是人間瓌寶，士林拱璧了。⑨

茲將今本與簡本〈緇衣〉最大不同的兩個地方，一曰章次先後安排之異同，二曰用「云」用「曰」之異同，列於〈異同對照表〉，一則可供治《禮記》之學者參考，一則可以一清眉目，同時也作爲本章之結語。

〈緇衣〉簡本與今本章次及用「云」用「曰」異同對照表

章次		用「云」用「曰」		
今本	簡本	簡本	今本	
			用「云」者	用「曰」者
2	1	《詩》鼎（云）⑩		〈大雅〉曰
11	2	《詩》鼎（云）	《詩》云	
10	3	《詩》鼎（云）〈尹誥〉鼎（云）	《詩》云	〈尹吉（誥）〉曰
12	4	〈大夏〉鼎（云）〈小夏〉鼎（云）	《詩》云	〈小雅〉曰
17	5	《詩》鼎（云）〈君牙（牙）〉鼎	《詩》云	〈君雅（牙）〉曰
6	6	《詩》鼎（云）	《詩》云	

5	7	《詩》鼎(云)〈呂刑〉鼎(云)○	《詩》云〈甫刑〉云	〈大雅〉曰
4	8	《詩》鼎(云)	○	
9	9	《詩》鼎(云)	《詩》云	
15	10	《詩》鼎(云)〈君連(陳)〉鼎(云)		○〈君陳〉曰
14	11	〈顧命〉鼎(云)		〈顧命〉曰
3	12	《詩》鼎(云)〈呂刑〉鼎(云)		○〈甫刑〉曰
13	13	〈康誥〉鼎(云)〈呂刑〉鼎(云)		〈康誥〉曰〈甫刑〉曰
7前	14	《詩》鼎(云)	○	○
7後	15	《詩》鼎(云)	《詩》云	
8	16	《詩》鼎(云)○	《詩》云	〈大雅〉曰
24	17	〈大(夏)〉云〈小夏〉鼎(云)	《詩》云	〈小雅〉曰

		〈君奭〉鼎(云)		〈君奭〉曰
19	18	《詩》鼎(云) 〈君迪(陳)〉鼎(云)	《詩》云	〈君陳〉曰
23	19	《詩》鼎(云)		〈葛覃〉曰
22	20	《詩》鼎(云)	《詩》云	
20	21	《詩》鼎(云)	《詩》云	
21	22	《詩》鼎(云)	《詩》云	
25	23	《詩》鼎(云) ○○	《詩》云	〈兌命〉曰 〈易〉曰
25	23	鼎(云):32 云:1	云:16	曰:17

【附註】

① 詳見王傳富〈荊門郭店一號楚墓〉,《文物》一九九七年七期,頁三五—四八。

② 詳本文〈玖、結語〉所列:〈緇衣〉簡本與今本章次及用「云」用「曰」異同對照表。

③ 詳本文〈玖、結語〉所列:〈緇衣〉簡本與今本章次及用「云」用「曰」異同對照表。

④《禮記・鄭注》，卷十七，頁十頁下。

⑤《禮記・鄭注》，卷十七，頁十頁下。

⑥《禮記音義》，卷之四，七頁下。

⑦《禮記・鄭注》，卷十七，十四頁上—十五頁上。

⑧《周禮源流》乙書係國立編譯館主編《十三經源流》之一種，去夏已完稿，目前尚在專家的手中審查，待刊。

⑨餘詳拙作《湖北・郭店楚簡〈緇衣篇〉研究》乙書，付梓中。五南圖書出版公司。

⑩楚簡「鼎」字即今「員」字，於此悉通借作「云」字用。餘詳拙作《湖北・郭店楚簡〈緇衣篇〉研究》，〈校注〉部分。

參考書目（論文附）

△郭店老子國際研討會論文集　郭店《老子》國際研討會　一九九八年五月廿二日　美國達慕思大學刊印本。

△荊門郭店一號楚墓　王傳富撰　《文物》一九九七年第七期，三十五—四十八頁，文物出版社。

△郭店楚墓竹簡　荊門博物館編著　文物出版社　一九九八年五月。

△禮記・鄭注　漢・戴聖編撰　漢・鄭玄注　學海出版社景印宋紹熙建安余氏萬卷堂刊本　一九七九

年五月。

△經典釋文　唐・陸德明撰　鼎文書局景印通志堂刊本　一九七五年三月。

△湖北・郭店楚簡〈緇衣篇〉研究　邱德修編著　五南圖書出版公司　付梓中。

△新訓詁學　邱德修編著　五南圖書出版公司排印本　一九九七年六月。

《禮記．檀弓．戰於郎》重詁

——利用《左傳》所提供的訊息

吳聖雄

《禮記．檀弓．戰於郎》章（以下簡稱〈戰於郎〉），用很精練的文字，描述了公叔禺人與汪踦為國捐驅的過程；是一篇很好的習文範本①。但是由於它的文字非常簡潔，如果不了解故事的背景，閱讀的時候就不一定能夠把握它的原意。本文根據《左傳》相關的記載，探究這個事件的歷史背景，進而檢討文字的訓詁，對這篇文章得到了一些不同的理解。主要的意見有：1.文中的主角不是汪踦，而是公叔禺人。2.鄭玄對「遇負杖入保者息」這段話的注解值得商榷。3.魯人為汪踦的喪儀向孔子問禮，實際上另有弦外之音。

壹、〈戰於郎〉章的主角

一、篇章結構

由篇章結構的角度來看，這篇文章可以分為三部份②：第一部份是文章開頭的三個字「戰於郎」，交待事件的背景。第二部份是事件本身，由「公叔禺人」到「皆死焉」。第三部份則是事件的影響，由「魯人欲勿殤重汪踦」到「不亦可乎」。

第二部份以「公叔禺人」開始，運用四組動詞逐次記載他㈠遇到的情況、㈡所發的感嘆、㈢所作的事情、以及㈣結果。在這一部份中，前三個主要動詞：「遇、曰、與⋯⋯往」的主語都是「公叔禺人」。尤其值得注意的是：提到「汪踦」的時候用「與其」引出，很明顯地是將「汪踦」安排在附屬的位置。至於第四個動詞「死」的主語雖然是複指的「皆」，由於它承接前文的「公叔禺人與其鄰重汪踦」，所以重點仍然在「公叔禺人」。因此由這一部份的結構來看，作者所安排的主角應該是「公叔禺人」，而「汪踦」則是配角的地位。

第三部份記載魯人想用成人禮埋葬汪踦，向孔子請教，以及孔子的回答。主語分別是「魯人」與「仲尼」。由於討論的對象是「汪踦」，讀者很容易就會把焦點放在「汪踦」身上。因此對文章的理解，就產生了一個分歧的可能：文章的重心倒底在第二部份還是第三部份？現在坊間通行的解釋，都把焦點放在汪踦的身上③，認爲這是一篇少年英勇殺敵的故事④。

由於第三部份的篇幅約佔第二部份的五分之三，單就文章來討論，孰輕孰重可能不容易得到一致的看法。但是如果把它放到歷史的脈絡裡來看，應該可以得到比較客觀的認識。

二、公叔禺人的身份

公叔禺人是何許人？在〈戰於郎〉這篇文章裡並沒有很多線索。但是《左傳》對他的身世卻提供了相當豐富的記載⑤。《左傳》稱他作「公叔務人」又稱「公爲」⑥。他是魯昭公的兒子、哀公的叔父。曾經是國君的繼承人，因爲不滿季氏專權，勸說昭公剷除季平子；不幸失敗，跟隨昭公流亡國外⑦。因爲發起這次事件，成爲禍首；又因爲他的母親曾經使了一個手段使他成爲世子，後來昭公便以這件事作爲口實，改立他異母的哥哥公衍爲太子⑧。等到昭公病死在乾侯，跟隨昭公流亡的人陪同靈柩返回魯國。掌權的季平子絕對不能容許想要剷除他的人回來當國君，因此另外指定了公子宋，也就是魯定公，來繼承國君的位置⑨。因此在閱讀這篇文章的時候，不能將他等閒視爲一個普通的官員。反之，我們應該注意他是昭公之子、哀公之叔，曾經想要剷除季氏，與國君的位置擦身而過，一個具有特殊的身份的公族。

至於「汪踦」⑩又是何許人？〈戰於郎〉說他是公叔禺人的「鄰重」，因爲鄭玄依字把「鄰」解釋爲「鄰里」，很多人就因此把「鄰重」理解爲「鄰居的小孩」。但是《左傳》作「嬖僮」⑪，意義上與鄰居沒有關係。考慮公叔禺人的身份，《左傳》的「嬖僮」應該比較接近實情，「汪踦」原來是侍候公叔禺人的童子。

因此在了解了公叔禺人特殊的身份，以及他與汪踦之間的主僕關係之後，我們可以肯定：這篇文章的主角應該是「公叔禺人」，而不是「汪踦」。

貳、公叔禺人說話的情境

在確定了這篇文章的主角是公叔禺人之後，進一步需要探討的就是：他所說的那番話究竟何所指？他是在何種情境之下作出爲國犧牲的決定的？《左傳》哀公十一年對這個事件有相當完整的記載，不但對當時的情勢及戰場上的景象作了詳細的描述，而且對文字的訓解提供了可茲比較資料，對了解這篇文章有很大的幫助。以下就根據《左傳》的記載來討論當時的情境。

一、魯國的情勢

《左傳》哀公十一年，一開始就記載了齊國大軍壓境，魯國三家大夫各有盤算，不能同心一戰的情況。季孫的家臣冉求用了激將法才使得另外兩家同意作戰，但是孟孫家的孟孺子帥領右師，仍然拖拖拉拉地過了五天才到達戰場⑫。這應該是〈戰於郎〉「君子不能爲謀也、士弗能死也」或《左傳》「上不能謀、士不能死」這兩句話具體所指的內容。

二、戰場的景象

根據《左傳》的敘述，公叔務人說這番話的時候，齊魯兩國還沒有開戰。極力主戰的冉求，動員了武城的老百姓。選了三百人作爲自己的貼身精兵，其他的老幼則負責守備，集結在雩門之外⑬。根據《左傳》的注文，「雩門」是魯國國都曲阜的南城門。武城在曲阜的西南方，我們可以想像老百姓們扶老攜幼、長途跋涉，被驅遣到戰場上的苦狀⑭。這應該是〈戰於郎〉「使之雖病也、任之雖重也」或《左傳》「事充、政重」這兩句話具體所指的內容。

三、鄭玄注的檢討

《左傳》對戰場景象描述得比較多，〈戰於郎〉則只有「遇負杖入保者」短短的一句。對於這句話，鄭玄的注解是：

遇，見也。見走辟齊師，將入保，罷倦，加其杖頸上，兩手掖之休息者。保，縣邑小城。

由於鄭玄的注被廣爲接受，今人就將「遇負杖入保者息」這段話翻譯成：「看到扛著兵杖的人進入城堡休息」⑮。一個扛著兵杖的人，表現得垂頭喪氣，給人的感覺充其量不過是軍紀不良。爲什麼回來休息的景象會引起公叔禺人這麼大的感慨？另外，在「息」字之下斷句，在句法上也不穩當，依照這個解釋，把句子改成「遇負杖入保而息者」也許更通順一點。

檢討這段注解所以奇怪的原因，是因爲鄭玄將「負杖」與「入保」都理解爲動賓結構；又將「息」理解爲「休息」。但是這幾個詞語除了鄭玄所解釋的意義以外，實際上都還有其他可能的解釋。以下便參酌《左傳》，分別討論這幾個詞語的訓詁。

1.息

「息」字的本義是「氣息」⑯，由這個意義可以分化出「嘆息」與「喘息」，再由「喘息」引申出「休息」的意義。因此在這篇文章裡，「息」字除了可以解釋爲「休息」以外，還有「氣息」、「嘆息」與「喘息」等可能的解釋。

《左傳》說公叔務人「見保者而泣」，把這句話和〈戰於郎〉的「遇負杖入保者息」比較，可以看出來它們說的都是同一件事。但是《左傳》的話沒有歧義，也就是說：公叔務人看見的是「保者」

（不是保者在休息），而哭泣的是「公叔務人」。由這個了解出發來看〈戰於郎〉，我們就可以了解：這段話應該在「者」與「息」之間斷句。公叔禺人遇到的是「負杖入保者」，而「息」的是公叔禺人。至於公叔禺人要在這個場合「息」，那麼「嘆息」應該是最合理的解釋⑰。《左傳》描述的是他流著淚說，而〈戰於郎〉則描述他嘆著氣說。⑱

2. 負杖入保

「保」字，鄭玄解釋爲「縣邑小城」，而今人則解爲「城堡」，都將「保」字理解爲名詞。實際上這個字更常用作動詞，就是「保衛」的意思⑲。《左傳》直接作「見保者而泣」，沒有歧義，「保者」就是「守城的人」。「保」作動詞用，既不是「縣邑小城」，也不是「城堡」。如果《左傳》和〈戰於郎〉記載的是同一件事，那麼〈戰於郎〉的「保」字也不該是「縣邑小城」或「城堡」，而應該解釋爲「保衛」。

至於〈戰於郎〉爲什麼要作「負杖入保者」，比《左傳》多出了幾個字呢？這是因爲〈戰於郎〉沒有其他的上下文，因此必需在這個交待情境的句子裡多加修飾，《左傳》因爲上文還有「老幼守宮，次于雩門之外。」的敘述，已經交待了這些「保者」的情狀，因此下文就直接說「見保者而泣」。

〈戰於郎〉爲了描述這些「保者」的苦狀，把它寫成「負杖入保者」，這應該相當於《左傳》的「老幼守宮，次于雩門之外。」「負杖」指的是「老幼」，「負」是負物，指背上揹著小孩，相當於《左傳》的「幼」；而「杖」除了作名詞以外，還可以用作動詞，作「拄杖」解⑳，指拄著枴杖的老人，相當於《左傳》的「老」。至於「入」則相當於《左傳》的「次于雩門之外」的「次」。瞭解了事件的背景，再比較《左傳》，我們可以看出〈戰於郎〉這段話的記載是很深刻的。「負杖入保」這四個字應該都是動詞，公叔禺人所遇到的是揹著小孩、拄著枴杖，從武城趕來守城的老百姓。見到這種景象，激起內心的傷痛，使得他一邊流著淚、一邊嘆著氣，說出了一番感慨的話。

四、公叔禺人的處境

看到齊國的大軍壓境、魯國的當權者各有盤算、老百姓苦不堪言，而怯懦的右師卻蹣跚來遲，這是任何人都應該感慨的。但是究竟是什麼使他視死如歸呢？從昭公討伐季氏失敗到這次戰役，中間經過魯定公到魯哀公，已經過了三十三年㉑。一個前途無限光明的太子，為了要扭轉沈痾已久的情勢，與頑強的勢力挑戰，遭到了挫敗，飽嚐流亡之苦。在歷經三十多年的滄桑之後，當時雖然身為國君的叔叔，但是可能遭到季氏、甚至魯哀公的猜忌。臨到要上戰場，身邊連參乘的武士都沒有。陪他共乘一輛兵車的，竟然是服侍他的童子。由這些線索，可以想像他隱忍多年的悲痛、面對時勢的無力感，晚景淒涼，最後終於決定奮力一搏的心境。

叁、魯人問禮於孔子的弦外之音

最後，我們還需要探討一個問題，那就是：這篇文章為什麼要在下半部轉移焦點，記載魯人為汪踦的葬禮向孔子問禮呢？

公叔禺人的身份，在魯國相當敏感。雖然他在這場戰爭中爲國犧牲，理當用國葬的大禮來表揚他。但是當權者季氏與他的仇恨，恐怕不能不讓籌辦喪禮的魯人有所顧忌㉒。

汪踦只是公叔禺人身邊一個地位微賤的人，因爲他隨著公叔禺人一起爲國犧牲了；如果在「執干戈以衛社稷」的前題之下，連一個地位微賤的童子，都不該草草地埋葬，要爲他舉行隆重的葬禮；那麼公叔禺人，無論觸犯季氏多大的忌諱，也該順理成章地享受隆重的葬禮。

在季氏專權的局面下，智慧的孔子想出了一個非常圓融的理由，化解了可能的尷尬，超脫愛恨情仇，爲這位失敗英雄滄桑的一生，畫下了光榮的句點。

附錄一

〈戰於郎〉的原文

戰于郎，公叔禺人遇負杖入保者，息曰：「使之雖病也、任之雖重也、君子不能爲謀也、士弗能死也、不可。我則既言矣！」與其鄰重汪踦往，皆死焉。魯人欲勿殤重汪踦，問於仲尼。仲尼曰：「能執干戈以衛社稷，雖欲勿殤也，不亦可乎。」

《左傳・哀公十一年》的記載

春，齊爲鄎故，國書、高無丕帥師伐我及清……冉有以武城人三百爲己徒卒，老幼守宮，次于雩門之外。五日，右師從之。公叔務人見保者而泣曰：「事充、政重、上不能謀、士不能死，何以治民？吾既言之矣，敢不勉乎？」師及齊師戰于郊。……公爲與其嬖僮汪錡乘，皆死，皆殯。孔子曰：「能執干戈以衛社稷，可無殤也。」

附錄二

《左傳》公叔務人年表

左傳紀年	西元前	記事	藝文本頁碼
昭二十五	五一七	討伐季氏失敗，昭公流亡齊國。	八九二—八九五
二十六	五一六	齊謀納昭公不成	九〇〇—九〇二
二十七	五一五	晉士鞅謀納昭公不成	九〇九
二十九	五一三	昭公黜公爲，以公衍爲太子	九二一—九二二
三十一	五一一	晉師納昭公不成	九二九—九三〇
三十二	五一〇	昭公疾，薨	九三三—九三四
定元	五〇九	季平子立昭公弟公子宋	九四一—九四二

五	五〇五	季平子死	九五八
定十	五〇〇	夾谷之會，孔丘相	九七六—九七七
十二	四九八	定公墮三都不成	九七九—九八〇
哀元	四九四	定公子蔣即位	九九〇
十一	四八四	務人戰死	一〇一六

【附註】

①這篇文章歷年來一直被選爲高中國文課本的範文。

②本文將〈戰於郎〉章的原文以及《左傳》相關的記載列於附錄一，請讀者參考。

③這可能是因爲文章的後半段記載魯人想用成人之禮埋葬汪踦，向孔子請教；孔子的回答中有「執干戈以衛社稷」的名言。

④如現行高中國文課本的題解說：「第三則敘述幼童汪踦能執干戈以衛社稷，雖犧牲生命，但獲得大家的尊敬，用成人之禮埋葬，以表示隆重。」（第一冊頁六〇）又如周維德（一九八九）《古文鑑賞大辭典》（浙江教育出版社）：「采用以賓帶主的手法，著重表現汪踦的愛國精神。……作者寫公叔禺人實際上是寫汪踦……」（頁一九四）

⑤ 爲節省篇幅，本文儘量少引原文。對《左傳》的記載，以個人的理解作轉述，並在註腳中註明原文的出處。所註頁碼據藝文印書館縮印阮元十三經注疏本。讀者可自行檢閱。

⑥ 由古人名、字相應的觀點來看，「務、爲」在字義上相應，所以《左傳》作「務人」，用的可能是本字；〈戰於郎〉將「務」作「禺」，用的可能是假借字。

⑦ 參《左傳》昭公二十五年。（頁八九二c—八九五b）

⑧ 參《左傳》昭公二十九年。（頁九二三a）

⑨ 參《左傳》定公元年。（頁九四二a—b）

⑩ 劉老師提醒我：「踦」，《左傳》作「錡」。

⑪ 參本文附錄一。

⑫ 參《左傳》哀公十一年。（頁一〇一五d—一〇一六b）後來臨陣脫逃的也是右師。

⑬ 《左傳》哀公十一年。：「冉有以武城人三百爲己徒卒，老幼守宮，次于雩門之外。」（頁一〇一六b）

⑭ 更諷刺的是右師在五天以後才到達戰場。

⑮ 如：王夢鷗（一九六九）《禮記今註今譯》（商務印書館）譯爲：「戰爭已經進行到城郊，公叔禺人遇到一個抗著兵杖的人走進城堡來休息。」（頁一八三）姜義華（一九九七）《新譯禮記讀本》（三民書局）譯爲：「戰鬥在城郊郎地進行著，公叔禺人遇到士兵們扛著兵杖進入城堡休息。」（頁一六二）

⑯ 現行高中國文課本第一冊譯爲：「看到一位扛著兵杖的人很疲倦的進入城堡休息」（頁六五，註十六）「息」字的構形，本來是畫一個鼻子，下面畫幾道直線象呼出的氣息，後來訛變成「心」。參《說文詁林》（鼎文書局）所收《文源》的解釋：「從自，象鼻。（心）象氣出鼻形，非心字。」（頁八—一一〇四）

⑰ 萬斯大《禮記偶箋》（商務印書館《叢書集成初編，頁一六二）已經先提出類似的意見了，他說：「入保者」句斷，「息曰」二字連。蓋禺人太息而言也。負杖入保者，老人避兵入保城邑者也。禺人見之，長噓鼻息而言；如今人胸中忿恨，噓氣爲聲；聲從鼻出，故曰息。（頁一八、五—六）

⑱ 劉正浩老師指出：如果不改變斷句，這句話也可以翻作：「見入保者疲極喘息」。

⑲ 劉正浩老師指出：哀公二十七年傳：「乃先保南里以待之」的「保」即作動詞用。

⑳ 裘錫圭（一九七九）〈說「遇負杖入保者息」〉（《文史》第六輯，北京中華書局）已將「杖」解釋爲動詞，他說：疲倦休息，怎麼會「加其杖頸上兩手掖之」呢？鄭說難信。此文「負杖」似與「杖負」同意，就是拄杖而負物的意思。（頁六四）

㉑ 參附錄二、《左傳》公叔務人年表。

㉒ 在魯昭公病死國外，靈柩返回魯國之後，季氏曾經想在墓葬與謚號上對昭公作一些屈辱，後來雖然經勸諫而作罷，但是仍將昭公葬在墓道之南。等到孔子作了魯國的司寇之後，才作了一些補救。雖然當時季平子已先公叔務人而死，但是由這段歷史，可以想像季氏家族仍可能會在喪禮的儀節上對公叔務人有所報復。參《左傳》定公元年。

後記

大學時代，有機會聽講劉正浩老師所開的左傳，那眞是一段如沐春風的經驗。老師和藹風趣的談吐不但引人入勝，他藉著歷史事件所剖析的微言大義，更成爲我日後考慮出處進退時的銘箴。在老師的感召之下，我養成了讀左傳的習慣。然而自從讀研究所以來，由於全心埋首於聲韻學的探索，竟沒能對左傳的研究作任何的努力。

前一陣子、學姐劉瑞箏告訴我：老師即將退休，大家有意出一本論文集，爲老師慶賀七十大壽。這篇文章的想法，來自我大學時代的讀書筆記。高中時代，國文課本選了《禮記・檀弓・戰於郎》這一章，那時就對課本所附的解釋有點疑惑，後來自己讀左傳，見到了相關的這一段，才恍然大悟。現在把少年時代的讀書心得寫出來，向研究經學的同好們請教，也向我仰慕的劉老師致敬。

又，本文寫成後，承劉正浩老師指正許多地方，謹此誌謝。

民國八十八年二月五日吳聖雄謹記

《荀子・解蔽》與《管子》四篇心術論的異同

陳麗桂

提 要

虛、壹、靜的心術是《荀子・解蔽》全篇的理論高峰，也是《管子》四篇的核心論題，它們彼此之間有著相承相應之勢，都代表稷下黃老學派的心術理論，和先秦道家的修養要旨有密切關係。其結果，則《管子》四篇循著政治的方向去發展，從中提煉出正、靜、因的君術，《荀子・解蔽》則循知識論去發展，以去偏蔽，求真知、定是非、法聖王為終極目的。

關鍵詞：虛、壹、靜、心術、刑名、靜因、解蔽、荀子、管子

一、前言

「心」的討論是戰國時期齊國著名的稷下學宮重要的學術論題之一，也是黃老學的核心論題之一。稷下學者論心，範圍相當廣，從生理功能到精神活動，從認知作用到道德問題，甚至虛靜無爲的統御術，無不涉及。稷下先生站在各自的學派觀點上，由不同角度出發，對相關於「心」的各個層面問題，作了深入的討論。被推崇爲成書於稷下學宮的《管子》固不在話下，即曾遊學於齊的孟子與荀子，對於心

的作用與修養，也都有相當深入的討論。《管子》四篇以「氣」的充攝調養，論心的生理官能保健，與精神智慧培養，歸結於高妙的統御術，有濃厚的唯物色彩。孟子將心道德化，說「盡心知性」可以體認天理，說擴充「四端」可以蔚爲不可估限的道德力量，並主張透過寡慾與集義兩端去善加擴充調養。《荀子》則偏倚《管子》一系，在〈天論〉、〈解蔽〉中都論證了相關於心術的問題，與《管子》的心術理論明顯有著相互呼應之勢。

二、虛、壹、靜的心術

班固曾說：「孫卿道宋子，其言黃老意」①，不管荀子的思想和「宋子」究竟有多少淵源，《荀子》〈天論〉和〈解蔽〉中所呈現的心術理論確實是充滿「黃老意」，而和《管子》四篇的心術理論關係密切。它們都以虛、壹、靜爲修養要首，主張透過虛、壹、靜的修養工夫去治「心」，進而掌握「道」，以爲外王（施治）的基礎。《管子．心術上》說：「虛其欲，神將入舍」；〈內業〉說：「中不靜則心不治」；〈心術下〉要人「專於意，一於心」，虛、壹、靜是《管子》四篇的修養要旨。《荀子》說得更直接了，〈解蔽〉說：「治之要在於知道，人何以知道？曰：心。心何以知？曰虛、壹而靜。」然而，由於兩家儒法路線的基本歧異，致使《管子》四篇一切相關於心的修養理論終結於各司其職、不相干預的刑名說，與靜因無爲的統御術，充滿了政治色彩。《荀子．解蔽》則圍繞著心的認知功能與偏頗之患反覆論證，上檢歷代君臣得失，下批當代各家思想利弊，歸結於一心之偏全，所關切的是是非正論，偏倚向知識論的範疇，也呈現出相當的儒學特質。

㈠心的功能與形官

《管子、心術上》以耳目爲視聽之官，又以心爲耳目諸官之統轄，說：「心之在體，君之位也；九竅之有職，官之分也。心處其道，則九竅循理。」心統九竅官能，猶君統百官，「我心治，官乃治；我心安，官乃安」（〈內業〉）。耳目官能能否正確營其職司，完全決定於一心之統御。《荀子》的觀點基本上也相同，〈天論〉說：耳目口鼻「各有形能而不相接」，叫做「天官」；「心居中虛，以治五官」，稱做「天君」。〈解蔽〉篇則不但以心爲「形之君」，而且以心爲「神明之主」，統轄形、神兩界，是生理官能運作的主宰，也是靈明智慧孕生的根源。因此，在全身各官能中，心的地位是超高而絕對自主的，《管子》說它「自充、自盈、自生、自成」（〈內業〉），《荀子》說它「自禁、自使、自奪、自取、自行、自止」，「出令而無所受令」（詳〈解蔽〉），都在強調心尊高的統御地位與主觀能動特質。比起《管子》來，《荀子》更正面而堅決地肯定心的自主性與判斷功能。〈解蔽〉說：

> 口可劫而使墨云，心不可劫而使易意，是之則受，非之則辭。

按理說，有這樣一個具有高度自主性與判斷功能的「心」來主宰官能活動，吾人的行爲表現理當很理想、正確才對；事實不然，〈心術上〉說：

> 凡心之刑（形），自充自盈、自生自成，其所以失之，必以憂、樂、喜、怒、欲利，能去憂、

樂、喜、怒、欲利，心乃反濟。

基本上，心是指使官能活動的；但是，官能活動過度強烈，也會反過來牽擾心的統御與判斷優勢，這好比蹺蹺板的兩頭，彼此呈現互爲消長之勢，《管子》因此呼籲「毋以物亂官，毋以官亂心」（〈心術下〉、〈內業〉）「節其五欲，去其二凶，不喜不怒，平正擅胸。」（〈內業〉）。《荀子》的觀點也一樣，〈解蔽〉說：

耳目之欲接則敗其思，蚊蝱之聲聞則挫其精。

中心不定，則外物不清；吾慮不清，則未可定然否也。

因此要「導之以理，養之以清」，始「足以定是非、決嫌疑。」兩家因此同樣提出了虛、壹、靜以爲治心的要領。

㈡虛

《管子》說：

天曰虛，地曰靜，乃不伐。潔其宮，開其門，去私無言，神明若存。（〈心術上〉）

其下解釋說：

虛者無藏，故曰去智則奚求矣，無藏則奚設矣，無求無設則無慮，無慮則反覆虛矣。天之道，虛其無形，虛則不屈，無形則無所低�②……故偏流萬物而不變。……宮者心也；心也者，智之舍也……潔之者，去好過也。門者，謂耳目也；耳目者，所以聞見也。

天道無定象、不執著；因爲無定象，因此無所謂屈餒或窮盡；因爲不執著，因此能與物無所抵觸。永不屈餒窮盡，此天道之所以廣通而永恆。吾人修治內心，也當如天道之無定象、不執著，敞開耳目等官能的孔道，開放而無所偏執地去聽、去看。去除一己過度的嗜慾與偏好，排除心靈的雜質，不預設立場、不預存成見，無思無慮，清明澄澈地去應接外物，就叫做「虛」。

承接著《管子》「虛者無藏」的說法，《荀子》作了更詳細的詮釋，〈解蔽〉說：

> 心未嘗不臧也，然而有所謂虛……人生而有知，知而有志，志也者臧也，然而有所謂「虛」，不以所已臧害所將受，謂之虛。

《荀子》認爲：「心」天生有接物、納物、藏物的功能，天生就是要藏、能藏的，如何地「不藏」？所謂「不藏」，不是拒物不納，更不是空無一物，而是不拘執成見，不預設立場，不讓已知、已藏的先前見解，抵拒、干礙了將藏、將知的新知、新見。「虛」只是開放心靈，無所偏執。心靈能寬敞、開放，無所偏執地騰出空間來，靈明的智慧才能孕生，〈心術上〉說：

> 虛其欲，神將入舍；掃除不潔，神乃留處。

很顯然的，《管子》所謂的「虛」，原本至少包括兩層：一是虛其欲，一是虛其智。因此所謂「潔其宮」既包含掃除過度的嗜慾，也包含去除貯積的成見與智巧；不過，當它以「無藏」解「虛」時，則似乎偏指虛「智」一端，《荀子》的詮譯因此也全就去除成見作解。

(三)壹

《管子》說：

> 摶氣如神，萬物備存。能摶乎？能一乎？能無卜筮而知吉凶乎？……四體既正，血氣既靜，一意摶心，耳目不淫，雖遠若近。（〈內業〉）

> 凡心之形，過知失生，一物能化謂之神，一事能變謂之智，化不易氣，變不易智，惟執一之君子能爲此乎？執一不失，能君萬物，君子使物，不爲物使，得一之理。（〈內業〉）

《管子》認爲：一個人透過凝聚精氣與專一心神可以源生靈明的智慧，掌握事物變化的軌則，甚而預測事情發展的結果，終能充分而有效地宰理萬物。從前《老子》說過：透過「致虛」、「守靜」的功夫，去沈澱思慮的雜質，可以使心靈變得澄澈清明，是以洞見萬物變化的規律，掌握事物循環往復的軌則，純粹是精神方面的修治工夫。《管子》則身心並言，既講凝聚精氣，也講專一精神，這身、心二者在《管子》四篇中是合一並修的。

《荀子》對於「壹」，有更詳盡而深入的發揮。〈解蔽〉說：

> 心未嘗不兩③也，然而有所謂一。……心生而有知，知而有異，異也者，同時兼知之，同時兼知之，兩也；然而有所謂一，不以夫一害此一謂之一。

《荀子》完全就認識論的觀點來解析「壹」，說：心能接觸不同的事物或道理，有兼知的功能，兼知便是「兩」，如何說「一」？《荀子》說，所謂「壹」，不是拘執一物一理，而是不讓所兼知的各事各理相干擾。心儘管可以兼知各理，每一次作用時卻應該有一個主體目標，其餘姑且「藏」之可也，不能同時並呈，以免產生干擾，導致混亂。〈解蔽〉說：

心技則無知，傾則不精，式則疑惑。壹於道④，以贊稽之，萬物可兼知也。身盡其故則美，類不可兩，故知者擇一而壹焉。

一心不能二用，心思分散不專則道理不能入；一心以為有鴻鵠將至，如何學得好？它舉《詩、周南、卷耳》之篇來證明「壹」心的重要，並且說：

傾筐易滿，卷耳易得，然而不可以式周行。

生命裏作為過客的事物太多了，我們無法全部擷取，必須有所選擇，有一個主體目標，才能眉清目爽、順利成功，因此要「精」、要「壹」。〈解蔽〉詮釋人的心靈狀態（所謂的「心容」）時說：

其擇也無禁，必自見；其物也博雜，其情（精）之至也不貳。

心能自在、自主地選擇是非，其作用也寬廣複雜；然而，當它作用到最高點時，卻絕對是專一不二的。只有「壹」、只有「精」，所有習得的事物才能開花結果、轉化昇華為成就。〈解蔽〉說：

好書者眾，而倉頡獨傳者，壹也；好稼者眾，而后稷獨傳者，壹也；好樂者眾，而夔獨傳者，壹也；好義者眾，而舜獨傳者，壹也。倕作弓，浮游作矢，而羿精於射，奚仲作車而造父精於御，自古及今，未有兩而能精者也。曾子曰：是其庭（莛）可以博鼠，惡能與我歌矣？

所謂「精」、「壹」就是心神專注、不旁騖，不讓前見亂後知，不讓週遭雜務竄生干擾，專注心力，對準目標，全力以赴。

總之，凡事專精才有成。不僅如此，在《管子》，「執一」的終極目標，似乎是在求得一種足以領導統御的高妙智慧，以成就完美的領導統御條件，〈心術下〉說：

一物能化謂之神，一事能變謂之智，唯執一之君子能爲此乎？執一而不失，能君萬物，日月與之同光，天地與之同理。

重視外王的荀子，其「精」、「壹」的終極目標也和《管子》一樣，在掌握一種精微高妙的統御要領，〈解蔽〉說：

處一危之，其榮滿側；養一之微，榮矣而未知。故道經曰：「人心之危，道心之微」，危微之機，惟明君子而後能知。

一種至爲高妙精微的統御要領，只有透過「處一」、「養一」的工夫才能領悟得到，這是《荀子》精、壹心術的極致。爲了達到這個極致，《荀子》不只講求專壹，更進一步討論所要專一的目標內容，〈解蔽〉說：

農精於田而不可以爲田師，賈精於市而不可以爲市師，工精於器而不可以爲器師，不能此三技而可使治三官，曰精於道者也。精於物者以物物，精於道者兼物物。故君子壹於道而以贊稽物，壹於道則正，以贊稽物則察，以正志行察論，則萬物官矣。

凡事專壹，自然有成；但所專一的事物層次之間還是有很大差別，專一於一般事物，則熟能成巧，可以爲匠；專一於「道」，則能構成領導統御的條件，而爲師、爲君。《管子》四篇的精一、執一當然也是指的精於道、一於道。《管子》四篇對於「道」，一本黃老學的立場，心、物兼揉地，較《荀子》有更詳明的論述。然而，它從未細辨「精於物」與「精於道」之間的不同價值層次，《荀子》則有較清楚的區辨。不過，細細體味，可以略略感覺到：《管子》所謂「執一」的「一」，雖然和《荀子》一樣，都是明指「道」，事實上卻已暗暗蘊藏「法」的意味了。《荀子、解蔽》的「道」，則仍是指的一種周全不偏蔽，能「體常盡變」的「清明」大理，此容後細述。總之，「壹」不是拘執，而是要求心神專注。

㈣靜

向來論修養者，不分儒、道，莫不以「靜」爲基本原則，《老子》的「致虛寂」是靜，《莊子》的「心齋坐忘」也是靜；就是《孟子》的養夜氣，〈中庸〉的愼獨，無一不是「靜」的功夫。「靜」，同時也是《管子》四篇與《荀子、解蔽》的重要修養工夫。〈心術上〉說：

彼心之情，利安以寧，勿煩勿亂，和乃自成。提提乎如在於側，忽忽乎如將不得，渺渺乎如窮無極。

「心」要靜，才能平和入道，才能靈妙莫測。〈心術上〉說：

彼道自來，可藉與謀，靜則得之，躁則失之……所以失之，以躁爲害，心能執靜，道將自定。

不過，較之各家論心，《管子》四篇有著濃厚的唯物色彩。因此，它論「靜」，並不似各家偏指精神、心靈的平和不擾而已；而是內外兼治、身心並講地，既要求端肅不苟的外表容態，也要求平和穩定的內在心靈，因此，它總是「正」、「靜」並提，形、德兼修，以「正形」爲靜心、「攝德」的基礎條件；它說：

> 形不正，德不來；中不靜，心不治。正形攝德，萬物畢得，翼然自來，神莫知其極，昭知天下，通於四極。……意氣定，然後反正。（〈心術下〉）

《管子》認爲：身心是交互影響的，形神是一體互牽的，形身的問題沒有處理好，必然有礙心靈、精神的修治與穩定；反之，內在心靈、精神的平和穩定，會很自然地反應於外在的容色、儀態，甚至行爲舉止上；〈心術上〉說：

> 全心在中，不可蔽匿，和於形容，見於膚色。善氣迎人，親於兄弟；惡氣迎人，害於戎兵……心氣之形，明於日月，察於父母。

因此，《管子》四篇所謂「靜」的修養工夫，至少包含兩層內容：一是形身的調理與整飭，一是心靈、情緒的平和與穩定。就前者而言，〈心術下〉說：「毋以物亂官，毋以官亂心」，〈心術上〉說要「節其五欲」。就後者而言，〈心術上〉說要「去其二凶」，「不喜不怒，平正擅胸」。二者合一兼治，使我們的四體得正，血氣能靜，「內靜外敬」，「心全於中，形全於外」，「氣意得」而「心意定」。既有端莊不苟的外在形象，又有穩定成熟的心靈智慧，〈心術上〉說，這樣便可以免去天災、人害，這樣的境界叫做「聖人」。甚至，爲了進一步深入地詮釋形、心的調攝，《管子》引入了「精氣」的觀念，說精氣是生命之源，節制嗜慾，可以使精氣凝聚於內，不妄流泄；這好比保住生命的源泉，可以使人「四支堅固」，維護形身的健康。精氣充滿，則精神穩定，可以平正地明辨事理，也維護了心靈的健康。總之，在《管子》四篇裏，靜心之術是和正形之理並重、並講的。這或許是因《管子》四篇以領導統御爲終極目標，不論是健康的身體，或端正的形象與容態，都和高妙的統御要領一樣重要，因此必須身心雙治，形神並重，這是黃老統御理論的重要特質。

《荀子》則不然，〈解蔽〉一方面承繼前此各家的靜心之論，一方面站在認知的觀點上，對於所謂「靜」加以分析，它說：

中心不定，則外物不清；吾慮不清，則未可以定然否也。

它以水的鑑物功能，喻心的認知功能，來凸顯靜心的重要，它說：

（水）正錯而勿動，則湛濁在下，清明在上，則足以見鬚眉而察理矣。微風過之，湛濁動乎下，清明亂於上，則不可以得夫⑤形之正。

這是各家論修養的共同表述，但是，《荀子》卻不僅此，它對於所謂的「靜」，作了更深層的分析，〈解蔽〉說：

心未嘗不動也，然而有所謂「靜」。心，臥則夢，偷則自行，使之則謀，故心未嘗不動也，然而有所謂靜……不以夢劇亂知，謂之靜。

人心認知物理，固如水之鑑物；但人心究竟不是水，水如無外力，眞可以靜止不動。人心不同，人心有絕對自主性，隨時隨處都在動，睡覺作夢是動，放鬆、思考也是動，如何能「靜」？《荀子》說，所謂「靜」，不是眞正停止不動，而是指心的判斷功能穩定可靠，不受任何主客觀因素的干擾而有誤差，這就比《管子》，乃至前此各家，說得更清楚明白了。

《荀子》儘管不似《管子》那樣，強調容態的端肅，也未將「正形」與「靜心」合一並論；但耳目等官能既是接物最尋常的管道，便也同時成了干擾心的平靜最主要的來源，這就是爲什麼向來治心者一以調制嗜欲爲基本工夫。《老子》「守靜」的同時要戒五色、五音、五味之迷惑，《莊子》「心齋坐忘」之先要「墮肢體」、「離形」，《管子》說要「耳目不淫，心無他圖」（〈心術上〉），連《孟子》都說「養心莫善於寡欲」，基本上都是承認嗜慾是擾心的主要因素。《荀子》也是同樣的看法，〈解蔽〉說：

耳目之欲接，則敗其思；蚊蝱之聲聞，則挫其精。

亦以官能欲求爲擾心的主因。因此，欲求心的平靜，首先必須「闢耳目之欲，而遠蚊蝱之聲，閑居靜思」，才能「通」。總之，從生活上澈底排除一切物質欲求與俗務雜事的牽擾，遠離無謂的噪音，讓心靈輕鬆自在、穩定平和，思緒自然清明通暢，智慧自然源生，處理事物的能力自然增強；〈解蔽〉說：

導之以理，養之以清，則足以定是非、決嫌疑矣。小物引之，則其正外易，其心內傾，則不足以決麤理矣。

透過虛、壹、靜的修養工夫，《管子》認爲可以使我們身心兩方面都臻至最理想的狀況，〈心術上〉說可以使：

> 皮膚裕寬，耳目聰明，筋信（伸）而骨強，乃能戴大圓而履大方，鑑於大清，視於大明，敬慎無忒，日新其德，徧知天下，窮於四極。

「心全於中，形全於外」，以構成至高而完美的統御條件。《荀子》也一樣，認爲透過虛、壹、靜的修養工夫，可以使心對外物、事理的認識，達到無所不見、無所不知，且所見、所知無不恰當精確的「大清明」境界，成爲一個「全而無蔽」的「大人」，〈解蔽〉說：

> 虛壹而靜，謂之大清明。萬物莫形而不見，莫見而不論，莫論而失位。坐於室而見四海，處於今而論之遠，疏通萬物而知其情，參稽治亂而通其度，經緯天地而材官萬物，制割大理而宇宙裏矣，恢恢廣廣，孰知其極？睪睪廣廣，孰知其德？涫涫紛紛，孰知其形？明參日月，大滿八極，夫是之謂大人，夫惡有蔽哉？

這樣的境界和前述《管子．心術上》的「戴大圓而履大方，鑑於大清，視於大明……徧知天下，窮於四極」，其實沒有什麼不同？而所謂「大清明」的「大人」，事實上也就是一個優越、完美的統御者。

所不同的，在《管子》四篇裏，「虛」與「靜」往往是合一不分的，既包含了清理物慾，也包含去除成見、禁絕干擾；甚至，「靜」和「一」也常合一並論，〈心術上〉說：

> 四體既正，血氣既靜，一意摶心……

而在《荀子》，則分別就虛、壹、靜的工夫給予明確的界定與解析。

不僅如此，兩家由於學派立場不同，立論動機不同，各自朝向不同的方向發展，終於使這虛、壹、靜的心術有了不同的歸趨。《管子》四篇一本法家立場，循著政治的方向，提煉出了「靜因」的統御術。《荀子・解蔽》則站在儒家勸學、求眞知的立場，一本學術宗旨，用以檢視並批判當代各家學說理論的優劣得失。

三、管、荀心術論的發展與應用

(一)《管子》四篇的「靜因」君術

〈白心〉說：「內固之一，可爲長久；論而用之，可以爲天下王。」虛、壹、靜的心術內可以養生，外可以統御天下。就養生而言，心儘管統御九竅，卻絕不因主觀好欲，胡妄干擾九竅的官能運作，而聽任九竅各司其職，正常運作其功能，吾人因而得以耳聰目明，心竅靈明敏銳，〈內業〉說：

心而無與於視聽之事，則官得守其分矣。夫心有欲者，物過而目不見，聲至而耳不聞，故曰上離其道，下失其事，故曰：心術者，無爲而制竅者也。

這是生理方面的虛靜無爲。將這個道理移用於政治上，就領導統御而言，人君亦當去己去知，正靜地居於君位之上，聽任百官各司其職而不越俎代庖，則百官之職事與功能自能正常地運作，充分地發揮。〈心術上〉說：

毋代馬走，使盡其力；毋代鳥飛，使弊其羽翼；毋先物動，以觀其則。動則失位，靜乃自得。

換言之，人君不與臣下競能搶功，臣下始得竭盡所能，以爲君用；〈心術上〉因此接著解釋說：

此言不奪能……毋先物動者，搖者不定，趮者不靜，言動之不可以觀也。位者謂其所立也，人主者立於陰，陰者靜，故曰動則失位……靜乃自得。

這是政治上的虛靜無爲。人君不僅要放手不干預，聽任臣下各司其職，更重要的，在心理上，要完全排除主觀，去除成見，不預設立場，無好無惡，無所拘執地，全然把自己變做一個客體，去順物而爲、應物變化。就像一面鏡子，物來不豫謀，物去不留住，「物至則應，過則舍之」（〈心術上〉）純粹以客觀立場，靜待事物變化，被動地如實反應，這才是眞正的「虛」，《管子》管它叫做「因」。事實上，它是一種結合著《老子》的「柔弱」哲學與「虛靜」之理而成的應事之術，乃甚至是統御之方。〈心術上〉說：

因也者，舍己而以物爲法者也。感而後應，非所設也；緣理而動，非所取。

這施用在政術上，用以考核臣下，不但造成一種淵默沈靜、莫測高深的統御效果，而且既不必口授指揮，也不必勞心焦慮，純依臣下各自的職位與才能表現，如實地加以考核，絲毫不雜個人主觀成見，則正者自治，邪者自廢，一切無所遁形，姦欺詐僞不起，一切不治而自理。《管子》說：

有道之君，其處也若無知，其應物也若偶之」（〈心術上〉）

悳⑥人之言，不義不顧，不出於口，不見於色，四海之人，又孰知其則？（〈心術上〉）

聖人之治也，靜身以待之，物至而名自治之。正名自治之，奇身名廢。（〈白心〉）

上聖之人，口無虛習也，手無虛指也，物至命之耳。（〈白心〉）

這便是最能保住統御尊威，也是最精簡便捷的統御要領，更是《管子》四篇理論核心歸趨的「靜因」之道。

(二)《荀子．解蔽》的無偏蔽認知

認知的偏頗與蔽塞問題，是荀子虛、壹、靜心術論衍生的動機，也是它所要處理的終極問題。秉持「大清明」的心，荀子檢視當代政治、社會亂象與學術理論的優劣得失，發現問題盡在於「心」，心有主觀好惡不能「虛」，心受干擾蒙蔽不能「靜」，認知事物便不周全，而產生誤差與偏頗。〈解蔽〉說：

凡人之患，蔽於一曲而闇於大理。

今諸侯異政，百家異說，則必或是或非，或治或亂，亂國之君、亂象之人此其誠心莫不求正而以自爲也，妬繆於道，而人誘其所迨（怡）也。私其所積，唯恐聞其惡也；倚其所私，以觀異術，唯恐聞其美也。是以與治離走，而是己不輟也，豈不蔽於一曲而失求正也哉？

追求眞理與掌握眞理中間，沒有必然的關係，心求正，未必眞得正。其間的落差，常在心之偏蔽。個人的好惡，所從觀測的角度，時空條件的不同等等主客觀因素，在在影響我們對事物的判斷，甚至造成偏蔽；〈解蔽〉說：

欲爲蔽，惡爲蔽；始爲蔽，終爲蔽；遠爲蔽，近爲蔽；博爲蔽，淺爲蔽；古爲蔽，今爲蔽。凡萬物異，則莫不相爲蔽，此心術之公患也。

週遭生活條件中導致我們心靈生蔽的機率太高了，《莊子》說：

蓋將自其大者而觀之，則萬物莫不大；自其小者而觀之，則萬物莫不小。（〈秋水〉）

〈齊物論〉說：「道之所以虧，愛之所以成」。《禮記・大學》也說：

人之其所親愛而辟焉，之其所賤惡而辟焉，之其所畏敬而辟焉，之其所哀矜而辟焉，之其所敖惰而辟焉。故好而知其惡，惡而知其美者，天下鮮矣。……人莫知其子之惡，莫知其苗之碩。

由於立場的不同，主觀好惡的不同，對同一事物會有不同的價値判斷，這些都是偏頗，《莊子》稱之爲「隱」，〈齊物論〉說：「道隱於小成」；〈大學〉稱之爲「辟」；《荀子》稱之爲「蔽」，《荀子》因此要解蔽，解古今政治人物與當代學者之「蔽」。

他舉桀、紂爲人君「蔽塞」之代表，說他們只見讒佞，不見賢臣；舉唐鞅、奚齊爲人臣「蔽塞」之代表，說他們「貪鄙、背叛、爭權」，逐賢相、罪孝兄。又舉湯與文王爲人君不蔽之代表，舉鮑叔、寧戚、隰朋、周公、呂望爲人臣不蔽之代表，說他們知賢、輔賢、用賢，而身不失道。這些大致上是儒家評騭古人的一貫模式。

但他又一承戰國以下學術界嗜喜綜論天下學術的風氣，一針見血地指出當代各家學說的得失與偏頗，他說：

墨子蔽於用而不知文，宋子蔽於欲而不知得，愼子蔽於法而不知賢，申子蔽於埶（勢）而不知和⑦，惠子蔽於辭而不知實，莊子蔽於天而不知人。

各家的偏頗，都因心不能「虛」，以致拘執一端，跳不出自我，局部地誇大、膨脹一理，終不能自免於偏頗。事物本具的全面價值終將因此而遭扭曲、走調、變味；〈解蔽〉說：

> 由用謂之，道盡利矣；由俗謂之，道盡嗛矣；由法謂之，道盡教矣；由埶謂之，道盡便矣；由辭謂之，道盡論矣；由天謂之，道盡因矣。此數者，道之一隅也。

各家各從不從的角度觀測「道」，由於主觀太強，拘執太甚，終使全面的道，被扭曲成一偏之理〈解蔽〉說：

> 夫道者體常而盡變，一隅不足以舉之。曲知之人觀於道之一隅而未之能識也，故以爲足而識之，內以自亂，外以惑人，上以蔽下，下以蔽上，此蔽塞之禍也。

道有一定的軌則和穩定性，卻又有相當的彈性，靈活萬變，道是多面而周全的，不是固定而片面的。從前，老莊都否定現象界裏一切存在的價值判斷，除了「道」之外，始終不接受有什麼絕對的是非。因此，主張以「道」來觀照萬物，讓一切世俗的價值判斷自然地統合爲一。《管子》一本稷下黃老道家的觀點，不但承繼了《老子》相關於道的一切屬性，包括超越、抽象、絕對、創生、唯一……等等，更一本唯物的觀點，以氣或精氣去詮釋道的內容，以解說創生與修養⑧。荀子受到稷下道家的影響，也抬出「道」來，作爲與一曲相對的唯一眞理；但它的「道」，不同於道家，只是一種對於周全不偏、既穩定，又靈活有彈性之「理」的泛稱。荀子堅持這種周遍之理的存在，稱之爲「大理」。

舉凡與此相反，局部、片面、不周全的價值，概皆歸之於「非道」，荀子因此要人守「道」以禁「非道」，可「道」而不可「非道」。換言之，在先秦道家，「道」被推尊爲宇宙間唯一的絕對，用以化生並統合一切相對，先秦道家很強調道的唯一性與絕對性。到了《管子》四篇一系黃老理論中，道的超越性與抽象性依然存在，「唯一」的意味卻轉淡，甚至有下跌爲存在事物之理的意味，而與「德」合一，在戰國時代的黃老論著中，「道」常被不經意地與「理」混用。在《荀子》裏，道雖然也被推得很崇高，超越與創生意味卻都不見了，亦未見被強調爲唯一，而是用以指稱現象界裏「不蔽於成積」，亦即不爲狹隘經驗或局部偏見所囿限的周遍之理。

而要如何解除這些偏蔽？荀子說，只有全面開放地廣納諸理，以平正而寬容的心，冷靜、客觀地加以分析、了解，則一切事物參差歧異的價值自能如實地呈現，而不相遮蔽。〈解蔽〉說：

> 聖人知心術之患，見蔽塞之禍，故無欲、無惡、無始、無終、無近、無遠、無博、無淺、無古、無今，兼陳萬物而中縣衡焉，是故，眾異不得相蔽以亂其倫也。

這個「衡」就是「道」，是內心經過全面了解和客觀分析後，所得到的體悟，它是判斷是非的準據，〈解蔽〉說：

> 何謂「衡」？曰道。故心不可以不知道，心不知道，則不可道而可非道。

正確認知的根源，事實上只是一顆全面開放而冷靜的心靈，這是《荀子》心術論的最大叮嚀。

總之，荀子畢竟是儒家，因此，一旦寬廣而通達的「大清明」心境敞開，可以無偏蔽地領略新知之後，它並沒有像先秦道家一樣，讓它成爲一個無邊無際的超越存在，也沒有像黃老道法家一樣，一勁地往領導統御一路去發展，而是用它來鑑知一切學術的終極目標，而歸結於「聖王」之道；〈解蔽〉說：

凡可知⑨，人之性也；可以知，物之理也。以可知人之性，求可知物之理，而無所疑止之，則沒世窮年不能徧也。……故學也者，固學止之也。惡乎止之？曰：止諸至足。曷謂至足？曰：聖王⑩。聖也者，盡倫者也；王也者，盡制者；兩者盡，足以爲天下極矣。

三、結論

虛、壹、靜的心術是〈解蔽〉全篇的理論高峰，也是全篇的思想精髓，它和《管子》四篇呈現出相承相應之勢。《管子》四篇也以虛、壹、靜爲修養要旨，它們都代表稷下黃老學派的心術理論，和《老子》的「致虛寂，守靜篤」（十六章），《莊子》的「用志不分，乃凝於神」（〈達生〉）一類思想有相當密切的關係。所不同的，《管子》塡注了許多精氣觀念，去豐富其理論內容，又從虛、壹、靜的心術中提煉出正、靜、因的君術；荀子則回歸於儒學基點，以去偏蔽、求眞知、定是非、法聖王爲其終極目的。

【附註】

① 見《漢書・藝文志》《宋子》十八篇下注。

② 無所低趌，「低」本作「位」，「無所位趌」，王引之以爲位趌二字義不相屬，「位」當是「低」字之誤，「低」通「抵」；低趌即抵牾。凡物之有所抵牾者，以其有形也；道無形，則無所抵牾，故下文云：「無所低牾，故徧流萬物而不變也，其說詳見《讀書雜志》(五)《管子雜志》卷六。今從校改。

③ 「兩」字本作「滿」，楊倞曰：「滿當爲兩，兩謂同時兼知。」今從校改。

④ 「壹於道」三字本闕，陶鴻慶云：「『以贊稽之』句與上文不相承接，句上當有『壹於道』三字，而傳寫奪之。下文云：『君子壹於道而以贊稽物。壹於道則正，以贊稽物則察；以正志行察論，則萬物官矣』即申言此義。」其說參見《讀諸子札記》八《孫卿子》二當句下。今從校改。

⑤ 「夫」本作「大」，「不可以得大形之正」義不可通。梁啓雄柬釋引「伯兄」曰：「大」疑當作「夫」，夫，彼也。今從校改。其說參見梁啓雄《荀子柬釋》（河洛圖書公司一九七四年十二月出版）頁二九九〈解蔽〉當句下。

⑥ 「悳」本作「直」，張舜徽以爲當作「悳」，乃「德」之本字；悳人，謂全德之人，說見《周秦道論發微》頁二一〇〈管子四篇疏證・心術上篇疏證〉

⑦ 「不知和」本作「不知知」，梁啓雄柬釋引「伯兄曰」以爲：下「知」字當作「和」，謂徒見乎勢力之足以箝制天下，而不知人和之足貴也，其說同見註⑥頁二九〇。今從校改。

⑧ 其詳筆者已在《管子中的黃老思想—心術上、下、內業、白心思想研探》（台灣師大《國文學報》第十九期，一九九〇年六月）一文中詳細討論過，今不贅述。

⑨「凡可知」本作「凡以知」，義不可通。梁啓雄以爲：「以」當爲「可」，可知猶能知，能知是人的本能，故曰：「可知，人之性也。下句「可以知，物之理也」，謂可以被人知是物之理，其說同見註⑥頁三〇四。桂案：梁說是也，觀下文「以可知人之性，求可以知物之理」，益知其上亦當作「可知，人之性」也，因從校改。

⑩「聖王」，本作「聖也」，東釋引「伯兄曰」：「也」，當爲「王」，字之誤也。其說同見註⑥頁三〇五。桂案：下文「聖也者，盡倫者也；王也者，盡制者也。兩者盡，足以爲天下極矣。」知此亦當作「聖、王」，即《莊子・天下》所謂「內聖外王」，因從校改。

宋玉〈笛賦〉眞僞考

高秋鳳

宋玉〈笛賦〉是《古文苑》所收宋玉作品的第一篇，也是宋賦最先被懷疑是僞作的一篇。自南宋章樵注《古文苑》始疑〈笛賦〉以來，經清代崔述懷疑〈神女〉、〈登徒子好色〉等篇，再到民初陸侃如、游國恩、劉大白等撰文辨僞①後，宋玉傳世作品，除〈九辯〉外，幾乎都被判定是贋品。一九五五年，胡念貽發表〈宋玉作品的眞僞問題〉，論證《文選》所錄〈風賦〉、〈高唐〉、〈神女〉、〈好色〉四篇確爲宋玉之作，雖有部分學者肯定其說，但仍未形成共識②。一九七二年臨沂銀雀山出土之竹簡，有唐勒、宋玉對楚王言御殘篇③。此篇殘文，可證明宋玉時代是可以產生像《文選》、《古文苑》所載的宋玉賦作的。自此之後，《文選》所收的宋玉賦篇的眞僞問題，再度引起學者的興趣。隨著論辨的深入，可以說確定是宋玉作品的篇章，越來越多。目前的研討結果，可以說《文選》所選宋作，除〈招魂〉爲屈原所作外，餘皆可認定是宋玉作品；《古文苑》所收六篇則尚有爭議。但頗多學者以爲除〈笛賦〉、〈舞賦〉外，其餘〈大言〉、〈小言〉、〈諷〉、〈釣〉四篇亦是宋玉所寫④。〈舞賦〉是傅毅〈舞賦〉的節錄，當是《古文苑》編者誤收。但〈笛賦〉是否爲宋玉之作，則尚有討論空間。本文擬針對前人致疑〈笛賦〉爲僞與肯定〈笛賦〉爲眞的諸多理由，進行考辨，以探究〈笛賦〉是否確係宋玉作品。

一、否定〈笛賦〉為宋玉所作諸家說

㈠章樵：

《古文苑》卷二〈笛賦〉篇末，章樵注曰：

按：史楚襄王立三十六年，卒後又二十餘年，方有荆卿刺秦之事。此賦果玉所作邪？

㈡陸侃如：

陸氏〈宋玉評傳〉雖未論及〈笛賦〉何以爲僞，但陸氏所揭櫫的賦史進化三期說，以爲宋玉時代不可能產生《文選》及《古文苑》所錄的十篇宋玉賦作⑤。

㈢游國恩：

游氏於《楚辭概論》言：

篇中有「南楚」句，也已經很可疑，何況同出於可靠性薄弱的《古文苑》。⑥

㈣劉大白：

劉氏於〈宋玉賦辨僞〉云：

〈笛賦〉中有「宋意將送荆卿於易水之上，得其雌焉」的話，考荆軻刺秦王，在楚王負芻元年，從楚王負芻元年，追溯到頃襄王元年，計相距七十二年。楚王負芻元年以後，再隔六年，楚國就被秦國所滅了，所以這件事決不會被襄王時的宋玉引來作賦裡的古典，即使那時候宋玉還在，〈笛賦〉或許是此時所作，也決不會把同時的故事，引入賦中。⑦

又，劉氏尚指出〈笛賦〉有不合周秦古韻處：

「其處磅磄千仞，絕豁凌阜；隆崛萬丈，盤石雙起；丹水涌其左，醴泉流其右」；以「阜」跟「起」、「右」爲韻。（古音阜在蕭部，起、右在咍部。）

「其陰則積雪凝霜，霧露生焉；其東則朱天皓日，素朝明焉；其南則盛夏清微，春陽榮焉；其西則涼風游旋，吸逮存焉」；以「明」和「存」跟「生」、「榮」爲韻。（古音明在唐部，存在痕部，生、榮在青部。）

「芳林皓幹，有奇寶兮；博人通明，樂斯道兮；般衍瀾漫，終不老兮；雙枝間麗，貌甚好兮；八音和調，成稟受兮；善善不衰，爲世保兮，絕鄭之遺，生⑧南楚兮；美風洋洋，而暢茂兮」；以「楚」跟「寶」、「道」、「老」、「好」、「受」、「保」、「茂」爲韻。（古音楚在模部，寶、道、老、好、受、保、茂在蕭部。）

「於是天旋少陰，白日西靡；命嚴春，使午子；延長頸，奮玉手；摛朱脣，曜皓齒；頳顏臻，玉貌起；吟清商，追流徵；歌伐檀，號孤子；發久轉，舒積鬱」；以「靡」、「手」和「鬱」

跟「子」、「齒」、「起」、「徵」、「子」爲韻。（古音靡在歌部，手在蕭部，鬱在屑部，子、齒、起、徵在咍部。）⑨

㈤胡念貽：

胡氏於〈宋玉作品的眞僞問題〉說：

馬融的〈長笛賦〉說簫、琴、笙等都有頌，惟笛獨無，可見〈笛賦〉是馬融以後的作品。⑩

㈥湯漳平：

湯氏〈宋玉作品眞僞辨〉：

由於〈笛賦〉寫到荊卿刺秦王事，一般人都不認爲宋玉能活到這個時候，所以不大相信這篇是宋玉的作品。確實，在傳世的宋玉作品中，此篇疑點較多。除上述講到的理由外，作品的語言風格也和其它楚賦很不相同，它沒有傳世楚人作品那種「書楚語，作楚聲，記楚物，名楚物」的特色。況且賦的開頭也和楚賦常見的以對話開頭不同，作品的結尾實際上是一首整齊的七言詩。特別是漢人馬融的一段話，更加深了我們的懷疑……博學多才如馬融，竟然不知世傳的宋玉作品中的〈笛賦〉，而自己去作〈長笛賦〉來充數，這本身已足夠說明在東漢時，傳世的宋玉作品中無〈笛賦〉一篇。⑪

據前文引述，可知懷疑〈笛賦〉是宋玉所作，不外是時間、文體、押韻、遣詞、流傳等問題。

二、肯定〈笛賦〉為宋玉所作諸家說

㈠成績：

成氏〈從曾侯乙墓的竹笛看宋玉笛賦的眞實性〉：

曾侯乙墓中，出土了兩件橫吹竹笛，遠爲宋玉〈笛賦〉的眞實性提供了根據。……屈、宋的活動時間都晚於曾侯乙。因此從年代上講，宋玉寫〈笛賦〉，顯然是有實物根據的。

成氏主要據《通典》一四四：「橫笛，小吹篪也」之說，認定橫笛與篪是同一種樂器，而《詩經》及《楚辭》皆提及篪（《楚辭》「篪」作「鯱」），可見早在春秋戰國時期，南北都有笛這一樂器。所以「宋玉〈笛賦〉是眞實的，後人疑其非玉所作，亦謬也。」⑫

㈡譚家健：

譚氏於〈唐勒賦殘篇考釋及其他〉⑬先駁斥據「宋意將送荊軻於易水之上」而否定宋玉著作權說的不是，繼而言：

又據酈道元《水經注．湘水》在敘及衡山時引用了東晉羅含《湘中記》的話：「丹水涌其左，醴泉流其右。」恰是〈笛賦〉中形容衡山的句子。可知晉時〈笛賦〉尚在流傳。所以，恐怕不能因爲《文選》未收此賦而疑爲唐以後人僞託。⑭

㈢朱碧蓮：

朱氏《楚辭論稿》亦主宋玉生卒確切年月不可考，故章樵之說難以作爲定論。又言：「〈笛賦〉的構思方式、段落層次與〈高唐賦〉、〈釣賦〉等有異曲同工之妙。」另亦據曾侯乙墓出土之七孔橫笛，判斷先秦早已有此樂器，故宋玉賦笛不足爲怪。又云：

> 此後漢之王褒〈洞簫賦〉、傅毅〈琴賦〉，晉之潘岳〈笙賦〉、孫該〈琵琶賦〉等皆承宋玉〈笛賦〉而作。沒有宋玉之〈笛賦〉，恐怕也不會有後人這些賦樂之作吧。⑮

㈣鄭良樹：

鄭氏〈論宋玉賦的眞僞〉⑯歸納崔述⑰、游國恩、陸侃如、劉大白等提出否定宋玉著作權的各種證據爲文體、押韻、稱謂、仿託、流傳、其他等六方面的問題，並參考五〇年代以後學者的研究成果進行論辨，其結論是：

> 崔、游、陸及劉等提出來否決宋玉著作權的各種證據，經過五十年代以後學者們的審議和研究，的確存在著許多問題；比如據文體及稱謂以判宋賦之僞，顯然就含有過多的主觀成份；比如押韻及仿託，似乎就有考慮欠周之嫌；總而言之，經過我們的檢討後，他們所提出來的許多證據似乎無法令我們完全信服，因此，以今天的治學態度而言，若干宋賦的僞還是必須保留的，至於是不是全眞，那就有待深入考慮。

此文論及〈笛賦〉有兩處：其一，於「流傳的問題」下引《文選》李善注「奇條異幹，罕節簡枝」之異文，及「麥秀漸兮鳥垂翼」《古文苑》本「垂翼」作「革翼」二資料證明：「今《古文苑》所載者，與李善所見者於內容上無差別，於文字上僅小異，其爲同一祖本蓋無可疑，然則《古文苑》所錄宋賦蓋亦淵源有自矣。」其二，於「其他的問題」下，贊成游國恩之說⑱，認爲章樵之疑不足爲證。

綜上所述，可知諸家除從時間、文體、流傳三端駁斥否定者之說外，又利用考古文物爲據，且稍稍涉及〈笛賦〉與其他宋作及後代音樂賦之關係等來維護宋玉著作權，然於前人致疑之押韻、遺詞問題則未論及。

三、〈笛賦〉著作權商榷

誠如古籍辨僞專家鄭良樹所言：

從游、陸及劉的「全僞」到朱碧蓮的「全眞」（〈舞〉仍僞），不過數十年；在這短短的期間內，學術風氣轉變，所得的學術成果也就很不相同。我們不敢說「全僞」是正確的，也不敢說「全眞」是錯誤的，但是，我們相信，宋賦的眞僞一定要在心平氣和、實事求是的客觀研究之下，才能「眞理愈辨愈明」。⑲

以下根據前引諸家說，並參考各種文獻資料及當今學者研究成果，先探討時間、文體、押韻、遺詞、流傳等問題，再論述考古文物之利用，和〈笛賦〉與其他宋作及後代音樂賦之關係，希望能對〈笛賦〉之著作權作一較客觀深入的考辨。

(一)時間問題：

章樵因〈笛賦〉有「宋意將送荊卿於易水之上」一句，而懷疑不是宋玉所作。此實因前代學者多據王逸《楚辭章句》說，以爲宋玉是屈原弟子，所以不可能活到楚王負芻元年。但當今楚辭學者大多據《史記．屈原列傳》之說，認爲宋玉在屈原之後，與屈原並無師生關係。再者，根據〈登徒子好色賦〉、〈諷賦〉所載，宋玉在襄王之世，年紀尚輕，所以就存活時間看，他是可能在有生之年聽聞荊軻刺秦事的。這一點連反對《文選》、《古文苑》諸賦是宋玉所作最力的游國恩都認爲不足爲證，而譚家健、朱碧蓮、鄭良樹也都同意游氏的看法。至於劉大白以爲即使宋玉還在，也決不會把同時的故事，引入賦中。個人以爲，荊軻刺秦事在當時是非常重大的事件，對楚人言，秦又有殺君、拔郢、破城之仇，所以宋玉對易水送別事感慨特別深，在作賦時，自然引用，這正可見作家善於從現實取材。

㈡**文體問題**：

陸侃如據自己所排定的賦史進化三期說，斷定宋玉時代不可能產生如《文選》、《古文苑》所錄之宋玉十賦。最先反駁陸侃如此說的是胡念貽。胡氏以爲荀卿不是文學家，不可以荀賦代表戰國時期賦作⑳。曹明綱更進一步說：

> 眞正代表戰國末期賦的發展水平的，是這些直接師承屈原的楚產作家和作品，而不是晚年才由北方來楚的學者荀卿。……如果考慮到當時楚、趙地理條件和傳統文化對宋玉和荀卿所產生的不同影響，考慮到宋玉受莊子散文、屈原辭作影響的直捷便利，那麼荀、宋在賦的創作中表現出完全不同的風格和採取迥然有別的形式，就不是甚麼「絕對不可能的」事了。

所以曹氏認爲：「從辭賦的發展過程來看，宋玉賦產生於戰國末期也不是不可能的，而是完全可能的。㉑」

鄭良樹更明指陸說之誤：

賦予荀賦正統的地位，然後，據此而否決宋賦，顯然的，陸侃如在論證上犯了「先入爲主」的毛病，很難站得住腳。㉒

其次，朱碧蓮亦指出：

宋玉的賦篇短小，鋪張揚厲還是初具規模，其諷諫意義較強，正是散文賦體的初期形式；而司馬相如的賦則是長篇巨製，極盡鋪排之能事，其諷諫意義相對的減弱了，而歌功頌德的成分卻大爲加強。「勸百諷一」，正是散文體進一步發展的表現。宋玉的賦在前，司馬相如的賦在後，這個發展痕跡是顯而易見的。㉓

鄭良樹據此又說：

宋賦的僞託時代如果在司馬相如之前，當時的文人如司馬相如、學者如司馬遷應該會知道的，然而，卻不見他們有片言隻語的「怨言」。反過來說，從宋賦的形制及寫作技巧來觀察，「篇幅短小，鋪張揚厲初具規模」，宋賦完全有可能是司馬相如以前的眞作。㉔

再次，一九七二年，山東臨沂銀雀山出土之唐勒、宋玉對楚王言御𩥅篇更是推翻陸氏賦史進化三期說的鐵證。譚家健以爲此賦有三個藝術特點：一，屬於散文賦；二，采用主客辯難形式；三，使用多種對比方法來展開論點。而這三個特點都與宋玉賦相似㉕。湯漳平亦將此賦與《文選》、《古文苑》

所收宋玉諸賦比較，也有四點相同：一，開頭大體相同；二，正文體制規模大體相同；三，第三者敘述口氣相同；四，同樣涉及對國名和朝名的寫法問題。所以湯氏認爲此御篇殘簡足以推翻陸氏的賦體發展三階段論㉖。鄭良樹在將此殘篇與《淮南子．覽冥》比較後認爲：兩者文字相同處甚多，正因此賦爲散文形式的賦作，所以《淮南子》才能夠「生呑活剝」地抄錄進去。因此「陸侃如的文體說，豈不是必須重新考慮了嗎？㉗」

誠如前引諸家所論，陸侃如的賦史進化三期說是有問題的，所以據此來判斷宋玉時代不可能產生如《文選》、《古文苑》所錄宋玉諸賦是不正確的。但是我們也應看到〈笛賦〉在宋玉諸賦中的確是相當特殊的。因爲它不是用對話開頭，也不是第三者的敘述口氣，文末還有一段用「四三兮」句式寫成的亂詞。但個人以爲〈笛賦〉是宋玉晚年詠物寄情之作，有了寫作〈九辯〉、〈高唐〉、〈神女〉諸賦的基礎，於是混合騷體、散體，創作此一體制特殊的賦篇。開頭所以用第一人稱敘述，是因爲本賦是託物言志之作，既非應制奉和，也不是爲了向國君有所表白或諷諫。再者，自〈九辯〉開端的獨創性，及戰國晚期諸子散文的影響，此賦篇首的特殊也不足爲奇了。至於湯漳平以結尾似七言詩而懷疑，但此「四三兮」句式正與屈原〈橘頌〉句系同，而與魏晉之七言詩大異。且從亂詞文字亦可見承襲〈橘頌〉及〈懷沙〉亂詞。以是〈笛賦〉體製的特殊並不能證明它是僞作，反倒可以說它是具有獨創性的作家所寫，而不是模擬作僞之輩所爲。

㈢押韻問題：

劉大白以爲現傳宋玉十賦有好些地方都不合周秦古韻㉘。但胡念貽則說：「不獨與古韻不合，與漢以後的韻也不合。㉙」僅就〈笛賦〉言，劉氏指出四處不合周秦古韻。但〈笛賦〉之押韻究竟不合周秦古韻，或與漢以後的韻也不合呢？這只有通過全文韻腳的分析才能判斷就其押韻情形看，較可能產生在什麼時代。今依次列其韻字，並於〔〕內標明韻字之古音韻部㉚，（）內標明廣韻韻目，以爲論述根據：

A．阜〔幽〕（有）　起〔之〕（止）　右〔之〕（有）

B．生〔耕〕（庚）　明〔陽〕（庚）　榮〔耕〕（庚）　存〔眞〕（魂）

C．長〔陽〕（陽）　良〔陽〕（陽）

D．曲〔屋〕（燭）　國〔職〕（德）

E．生〔耕〕（庚）　形〔耕〕（青）

F．乘〔蒸〕（蒸）　雄〔蒸〕（東）

G．靡〔歌〕（紙）　子〔之〕（止）　手〔幽〕（有）　齒〔之〕（止）
起〔之〕（止）　徵〔之〕（止）　子〔之〕（止）

H．鬱〔沒〕（物）　絕〔月〕（薛）

I．子〔之〕（止）　理〔之〕（止）　士〔之〕（止）

J．逸〔質〕（質）　節〔質〕（屑）　結〔質〕（屑）

一〔質〕（質）　出〔沒〕（術）　疾〔質〕（質）

K．翼〔職〕（職）　域〔職〕（職）

L．寶〔幽〕（皓）　道〔幽〕（皓）　老〔幽〕（皓）　好〔幽〕（皓）

受〔幽〕（有）　保〔幽〕（皓）　楚〔魚〕（語）　茂〔幽〕（候）

M．士〔之〕（止）　友〔之〕（有）　久〔之〕（有）

劉氏指出〈笛賦〉不合古韻四處：

其一，即韻譜之A。「阜」爲幽部字，「起、右」爲之部字，然幽爲後半高元音，之爲中央元音，舌位相近，多旁轉相通，故先秦幽之合韻屢見[31]。宋玉〈神女賦〉亦有之幽二部合韻兩例[32]。

其二，即韻譜之B。「生、榮」二字爲耕部字，分別與陽部「明」，眞部「存」通押。雖然「明」字在東漢時轉入耕部[33]，但耕陽合韻先秦多見[34]，兩漢亦多見[35]，因耕陽韻尾既同，主要元音又近，故常通押。而耕眞合韻不僅先秦兩漢文獻多見[36]，宋玉〈九辯〉即有耕眞合韻例[37]。此耕陽眞合韻亦見先秦載籍[38]。

其三，即韻譜之L。「楚」爲魚部字，餘皆幽部字。幽爲後半高元音，魚爲後低元音，雖舌位相去略遠，但同屬後元音故可勉強旁轉，先秦載籍亦有合韻例[39]，兩漢則更多見[40]。然「楚」字疑其方音亦爲幽部[41]。再者，本節「老、好、保」三字於先秦屬幽部，齊梁以後入宵部，而三國至晉宋多與宵部合用[42]。然三字於本文仍與其他幽部字押，可見其押韻合於周秦、兩漢韻，而與魏晉以後不合。

其四，即韻語之G。劉氏以爲本段以「靡、手、鬱」與「子、齒、起、徵、子」爲韻。然「鬱」當與下文「絕」押。而「手」字，章樵注：「是指字，古文傳寫誤。」據此則與「子、齒、起、徵」皆屬之部字。縱使章注有問題，但「手」爲幽部，之幽合韻先秦屢見。比較難以解釋的是「靡」字。「靡」古音屬歌部，《廣韻》爲紙韻。然歌之合韻先秦較罕見㊸，兩漢則未見㊹。不過此字極可能不是韻字，因〈笛賦〉在用連接詞「於是」承轉處似爲散文，而非韻文㊺。

除劉氏所指四處（A、B、G、L）外，尚有：

D．「曲、國」於先秦分屬屋、職部，《廣韻》亦分屬燭、德二韻。兩部元音接近，韻尾相同，故可合韻，先秦、兩漢皆有韻例㊻。

F．「乘、雄」先秦皆屬蒸部，《廣韻》「雄」字入東韻，其轉變是從西漢末開始的㊼。此爲合於先秦、西漢古韻，而與東漢以後不合。

H．「鬱、絕」於先秦分屬沒、月部，《廣韻》亦分屬物、薛韻。二部皆爲前元音，韻尾又同，故先秦多合韻例㊽。宋玉〈高唐賦〉亦有合韻例㊾。兩漢則沒部與質部合用無別，唯《史記》、《淮南子》分別很嚴㊿，而此時質部與月部亦多合韻例(51)。

J．「出」於先秦在沒部，餘「逸、節、結、一、疾」等字皆在質部。質、沒部主要元音接近，韻尾又相同，故多合韻(52)。兩漢則二部合用無別。然三國時期質部字變動甚大，屑韻字（「節、結」）轉入月部(53)。故本節反映之押韻現象較近先秦、兩漢情況，而與三國以後差異較大。

M．「士、友、久」三字先秦皆在之部。尤韻「久」字，兩漢入幽部㊹，而尤侯母兩類字（「友」、「久」），三國時期轉入侯部，且極少與之部字押韻㊺。今「友、久」二字與「士」押，可見符合先秦古韻，而與兩漢及魏晉以後韻不合。

除以上提及者外，C、E、I、K四節則是既合先秦兩漢古韻，亦與魏晉以後韻合。

據以上之分析，可知〈笛賦〉之押韻現象：

1.既合先秦兩漢韻，也合魏晉以後韻者有C、E、I、K四節。此於辨認〈笛賦〉時代較無作用。

2.與先秦古韻合，而與兩漢、魏晉以後韻不合者，有F、M兩節。

3.與先秦古韻及兩漢、魏晉以後韻皆不合者，有：A、B、D、G、H、J、L七節。然這七節A、G是之幽合韻，B是陽耕眞合韻，D是屋職合韻，H是沒月合韻，J是質沒合韻，L是魚幽合韻，於先秦兩漢皆多韻例。其中之幽、耕眞、沒月合韻更出現在已被确認是宋玉的作品中。而J、L兩節的質沒、魚幽合韻，因韻字分合有時代差異，其通押現象較近先秦、兩漢情況，而與魏晉以後差異較大。

據前文之分析，可知〈笛賦〉的押韻現象最合乎先秦情況，其次是兩漢，而與魏晉以後則有較大不同。

(四)遺詞問題：

游國恩因賦中有「南楚」句而懷疑非宋玉所作。湯漳平則認爲本文沒有傳世楚人作品那種「書楚語，作楚聲，記楚地，名楚物」的特色，語言風格與其他楚賦不同。個人以爲，篇首即言「余嘗觀於衡山之陽」，以下即描寫竹之形態及其生長環境，這難道不是「記楚地，名楚物」。又，文中提及〈陽春〉、〈白雪〉、〈清商〉、〈流徵〉，與〈對楚王問〉同，此豈非楚聲。而亂詞採用「四三兮」句式，亦是「書楚語，作楚聲。」至於游氏以「絕鄭之遺離南楚兮」致疑，個人以爲本賦是託物寄情之作，宋玉撰寫此篇，蓋承屈子之頌橘，亦以笛自比。由於本篇作於晚年，當時宋玉可能離開楚國，所以說「離南楚」。且屈原〈涉江〉言「哀南夷之莫吾知」，〈思美人〉云「觀南人之變態」，〈橘頌〉亦云「生南國」，可見楚人習慣自稱南國之人。至於楚人稱本國名，則胡念貽、朱碧蓮二氏已有所駁正。胡氏舉《韓非子》爲例，朱氏引《孟子》、《荀子》爲例，反駁游氏「本國人必定不自稱本國名」之說56。更何況此處既有協韻之顧慮，更有清楚表義之作用。

㈤**流傳的問題**：

游國恩以爲本賦「出於可靠性薄弱的《古文苑》」所以可疑。胡念貽、湯漳平則以爲連通儒馬融亦不知有〈笛賦〉，可見是馬融以後的作品。然而誠如辨僞家鄭良樹所言：「時人沒有提到的作品，是不是當時就已失傳了呢？是不是合該是後人僞作的呢？」這是相當複雜的問題。「默證法是古籍辨僞學的一個忌諱，我們不能因爲文獻沒有著錄或古人未曾提及，就一概否認某種作品的存在。57」馬融雖是博學多才，但能否讀盡天下書，就當時文獻的流傳來判斷是很有問題的。至於因爲《古文苑》

可靠性薄弱，而懷疑所收之宋玉賦也有問題，這涉及《古文苑》選文的來源及原則問題，也還有待討論。故下文擬先列舉《文選》李善注所引〈笛賦〉資料，再將之與《古文苑》、《初學記》、《藝文類聚》所引〈笛賦〉文字作一比對，以爲論述〈笛賦〉流傳問題之根據。

《文選》李善注引〈笛賦〉文字共二十六次：

1.張衡〈西京賦〉：「嚼清商而卻轉，增嬋蜎以此豸。」下注：宋玉〈笛賦〉曰：「吟清商，追流徵。」（卷二）

2.張衡〈南都賦〉：「其竹則籦籠篁篾，篠簳箛箠。」下注：宋玉〈笛賦〉曰：「奇簳。」（卷四）58

3.左思〈吳都賦〉：「結根比景之陰，列挺衡山之陽。」下注：宋玉〈笛賦〉曰：「余嘗觀於衡山之陽。」（卷五）

4.司馬相如〈上林賦〉：「玫瑰碧琳，珊瑚叢生。瑉玉旁唐，玢豳文鱗。」下注：宋玉〈笛賦〉曰：「其處磅磄千仞。」（卷八）

5.潘岳〈西征賦〉：「出申威於河外，何猛氣之咆勃；入屈節於廉公，若四體之無骨。」下注：宋玉〈笛賦〉曰：「悲猛氣兮飄疾。」（卷十）

6.鮑照〈蕪城賦〉：「東都妙姬，南國麗人；蕙心紈質，玉貌絳脣。」下注：宋玉〈笛賦〉曰：「頩顏臻，玉貌起。」（卷十一）

7.張衡〈思玄賦〉：「私湛憂而深懷兮，思繽紛而不理。」下注：宋玉〈笛賦〉曰：「武毅發，沈憂結。」（卷十五）

8.張衡〈思玄賦〉：「氛旄溶以天旋兮，蜺旌飄以飛颺。」下注：宋玉〈笛賦〉曰：「天旋少陰，白日西靡。」（卷十五）

9.司馬相如〈長門賦〉：「案流徵以卻轉兮，聲幼妙而復揚」。下注：宋玉〈笛賦〉曰：「吟清商，追流徵。」（卷一六）

10.陸機〈文賦〉：「綴下里於白雪，吾亦濟夫所偉。」下注：宋玉〈笛賦〉曰：「師曠爲白雪之曲。」（卷十七）

11.王褒〈洞簫賦〉：「洞條暢而罕節兮，標敷紛以扶疏。」下注：宋玉〈笛賦〉曰：「奇篠異幹，罕節簡支。」（卷十七）

12.王褒〈洞簫賦〉：「師襄嚴春不敢竄其巧兮，浸淫叔子遠其類。」下注：宋玉〈笛賦〉曰：「於是天旋少陰，白日西靡，命嚴春，使叔子。」（卷十七）

13.馬融〈長笛賦〉：「酆琅磊落，駢田磅唐。」下注：宋玉〈笛賦〉曰：「磅唐千仞。」（卷十八）

14.嵇康〈琴賦〉：「涓子宅其陽，玉醴涌其前。」下注：宋玉〈笛賦〉曰：「丹水涌其左，醴泉流其右。」（卷十八）

15.成公綏〈嘯賦〉：「協黃宮於清角，雜商羽於流徵。」下注：宋玉〈笛賦〉曰：「吟清商，追流徵。」（卷十八）

16.潘岳〈悼亡詩〉：「寢息何時忘，沈憂日盈積。」下注：宋玉〈笛賦〉曰：「武毅發，沈憂結。」（卷二三）

17.劉琨〈答盧諶詩〉：「亭亭孤幹，獨生無伴。」下注：宋玉〈笛賦〉曰：「倚篠異幹。」（卷二五）

18.劉琨〈答盧諶詩〉：「綠葉繁縟，柔條脩罕。」下注：宋玉〈笛賦〉曰：「罕節簡枝。」（卷二五）

19.曹丕〈燕歌行〉：「援琴鳴絃發清商，短歌微吟不能長。」下注：宋玉〈笛賦〉曰：「吟清商，追流徵。」（卷二七）

20.〈古詩十九首．西北有高樓〉：「清商隨風發，中曲正徘徊。」下注：宋玉〈長笛賦〉[59]曰：「吟清商，追流徵。」（卷二九）

21.曹植〈雜詩〉：「去去莫復道，沈憂令人老。」下注：宋玉〈笛賦〉曰：「武毅發沈憂。」（卷二九）

22.張協〈雜詩〉之一：「感物多所懷，沈憂結心曲。」下注：沈憂已見上文。（卷二九）

23.鮑照〈翫月城西門廨中〉：「蜀琴抽白雪，郢曲發陽春。」下注：宋玉〈笛賦〉曰：「師曠將

爲白雪之曲也。」（卷三十）

24.劉鑠〈擬古〉（擬〈明月何皎皎〉）：「結思想伊人，沈憂懷明發。」下注：宋玉〈笛賦〉曰：「武毅發，沈憂結。」（卷三一）

25.枚乘〈七發〉：「使師堂操暢，伯子牙爲之歌。歌曰：麥秀蔪兮雉朝飛。」下注：宋玉〈笛賦〉曰：「麥秀蔪兮鳥華翼。」（卷三四）

26.曹植〈七啓〉：「動朱脣，發清商。」下注：宋玉〈笛賦〉曰：「吟清商，追流徵。」（卷三四）

賦文／出處　古文苑	初學記	藝文類聚	文選李善注
余嘗觀於衡山之陽	（同上）	（同上）	（同上）3
奇篠異幹	（同上）	（同上）	（同上）11 奇簳2 倚篠異幹17
罕節間枝	罕節簡枝	（同上）	（同上）18 罕節簡支11
磅磄千仞	（同上）	旁塘千仞	（同古文苑）4 磅唐千仞13
其陰則積雪凝霜……桀出	（未見）	（未見）	（未見）

有良。名高			
師曠將爲陽春北鄙白雪之曲	「鄙」作「鄭」	（同上）	師曠爲白雪之曲10
假途南國……曰命陪乘	（未見）	（未見）	（未見）
於是乃使王爾、公輸之徒……遂以爲笛	（未見）	（未見）	（未見）
於是天旋少陰白日西靡命嚴春使午子	（同上）	（同上）	「午子」作「叔子」12
頳顏臻玉貌起	（同上）	（同上）	（同上）6
吟清商追流徵	（同上）	「追」作「起」	（同古文苑）1、9、15、19、20、26
歌伐檀號孤子……歌壯士之必往	（未見）	（未見）	（未見）
悲猛勇乎飄疾	（未見）	（未見）	作「悲猛氣兮飄疾」5
麥秀漸漸兮鳥聲革翼	（未見）	（未見）	作「麥秀蔪兮鳥華翼」25
招伯奇於源陰……錦繡黼黻所以御暴也	「源」作「涼」「暴」作「寒」60	（未見）	（未見）

縟則泰過……亂曰	（未見）	（未見）	（未見）
芳林皓幹有奇寶兮博人通明樂斯道兮	（同上）[61]	（未見）	（未見）
般衍瀾漫終不老兮雙枝間麗貌甚好兮	（未見）	（未見）	（未見）
八音和調成稟受兮善善不衰爲世保兮……美風洋洋而暢茂兮	「世」作「時」[62]	（未見）	（未見）
嘉樂悠長俟賢士兮鹿鳴萋萋思我友兮安心隱志可長久兮	（未見）	（未見）	（未見）

《四庫全書提要》：

《古文苑》二十一卷，不著編輯者名氏。《書錄解題》稱：「世傳孫洙巨源於佛寺經龕中得之，唐人所藏」[63]所錄詩賦雜文，自東周迄於南齊，凡二百六十餘首。皆史傳、文選所不載。然所錄漢魏詩文，多從《藝文類聚》、《初學記》刪節之本，石鼓文亦與近本相同，其眞僞蓋莫得而明也。[64]

《古文苑》因來歷不明，加上《四庫提要》的評論，因此有些學者懷疑它是僞書[65]。《古文苑》是否是僞書，尚待考證。但縱使它不是唐人舊藏，而是孫洙所依託的，也不能說所收錄的文章都是僞造的。至於《古文苑》的文章，爲什麼都不見於《文選》，這正如江師心《古文苑．序》所言：

《古文苑》唐人所集，梁昭明之所遺也。昭明曷爲遺之，蓋以法而爲之去取也。唐人曷爲集之，蓋思古而貴於兼存也。去取以法，所以示後學之軌範；兼存乎古，所以廣後學之知識。其功一也。㊻

還有，《古文苑》是否如《提要》說的「所錄多從《藝文類聚》、《初學記》刪節之本」？我們從前表的比對，可以看出，單就〈笛賦〉言，它的文字很多是《初學記》、《藝文類聚》所無，可見《提要》之說未必符合〈笛賦〉情況。也就是說〈笛賦〉可能另有來源，他的來源可能是唐代尚流傳的《宋玉集》㊼。

再者，從李善注所引諸條的文字來看，內容與《古文苑》所載及《初學記》、《藝文類聚》所引大體相同，只是文字上有所差異，由此可見所引爲不同傳本，由此也可推測〈笛賦〉在唐代流傳頗廣。鄭良樹〈論宋玉賦的眞僞〉亦舉《文選》李善注所引〈笛賦〉、〈大言賦〉及《太平御覽》所引〈風賦〉、〈大言賦〉的文字與《古文苑》比對，其推論是：

有些學者謂《古文苑》乃宋人所僞託，書中所載宋賦全不可靠；果眞如此的話，《古文苑》所載者應該是李善以後好事者所僞託，其內容及文字應該和李善所見者有很大的差別才符合情理。今《古文苑》所載者，與李善所見者於內容上無差別、於文字上僅小異，其爲同一祖本蓋無可疑，然則《古文苑》所錄宋賦亦淵源有自矣。㊽

再次，李善注所引〈笛賦〉主要在說明遣詞、用典之出處。前引十六至二十及二二、二四共七條，因時代較後，而所用詞彙已有前人用過，未必是直接引自〈笛賦〉，故不論。第十五條成公綏〈嘯賦〉「清商」一詞，雖已見前人使用。但〈嘯賦〉寫嘯聲之妙，與〈笛賦〉關係密切，則此詞可能直接引自〈笛賦〉[69]。第十條陸機用「白雪」之典，已見《淮南子》，其餘第二十一條曹植用「沈憂」，第三條左思用「衡山之陽」，第五條潘岳用「猛氣」，第六條鮑照用「玉貌」[70]等詞，可能首見於〈笛賦〉，李善才以之爲出處。又，從曹植〈七啓〉寫音樂之美一段，亦可見與〈笛賦〉關係匪淺[71]。再加上譚家健已指出東晉羅含《湘中記》已用〈笛賦〉「丹水涌其左，醴泉流其右」二句，可見魏晉時代，〈笛賦〉也已流傳，而且被多位作家援引入詩賦。

最後，再看馬融之前的作品：張衡用〈笛賦〉之詞共四見：清商、篠簳、湛憂、天旋（第一、二、七、八條），王褒〈洞簫賦〉則兩見：罕節、叔子（第十一、十二條），這些詞可能都是首見於〈笛賦〉，而「叔子」一條，則更有價值。因爲李善注叔子是引用毛萇詩傳的故事，但所引故事卻與音樂沒有絲毫關係，可見「叔子」出處尚待考，如「叔子」應如《古文苑》作「午子」，則更不知典出何處。如果是模擬之作，不可能有這種現象。另，司馬相如〈上林賦〉用「旁唐」一詞，〈長門賦〉用「流徵」一詞，「流徵」已見〈對楚王問〉。至於枚乘〈七發〉除「麥秀蔪兮雉朝飛」一句與〈笛賦〉有關外，其論音樂一段亦可見〈笛賦〉形影[72]。

鄭良樹〈論《宋玉集》〉言：

若與前人相較，李善所見者又多〈笛賦〉一篇；此蓋爲〈漢志〉所謂「宋賦十六篇」中之一篇，亦爲〈隋志〉所載《宋玉集三卷》中之一篇，惜南北朝以前文人學者不曾提及耳。

通過上文的論述，可以證明自漢迄唐，〈笛賦〉並未失傳，雖南北朝之前的文人學者不曾提及，但他們卻是讀過的。故而游、胡、湯三氏之疑似乎應重新考慮。

㈥考古文物之利用：

譚家健、湯漳平、鄭良樹等學者利用銀雀山出土之言御殘篇駁斥陸侃如賦史三段說，取得很大的成就。然成績、朱碧蓮據曾侯乙墓出土之竹笛論證〈笛賦〉確爲宋玉所寫，則頗有問題。

成氏根據曾侯乙墓出土的竹笛認爲宋玉寫〈笛賦〉是有實物根據的，因此說：「宋玉〈笛賦〉是眞實的，後人疑其非玉所作，亦謬也。」然而有實物根據，就認定宋玉〈笛賦〉的眞實性，是相當危險的。因爲某種器物的存在，並不能證明一定會有作家去寫那件器物，只能說可能有人會寫而已。而且曾侯乙墓出土的七孔笛，是否就是「笛」？成氏根據《通典》的說法說出土的「篪」就是橫笛；又根據《周禮》「笙師掌教篪篴」注杜子春「篴乃今時所吹五孔竹篴」的說法，說：「篪、篴是兩種樂器。篪是七孔橫吹之笛，篴乃五孔直吹之簫。」

考《周禮．笙師》：「笙師掌教歈、竽、笙、塤、籥、簫、篪、篴、管、舂牘。」由此可知篪、篴是兩種樂器。然注引杜子春說：「讀篴爲蕩滌之滌，今時所吹五孔竹篴。」段玉裁《說文解字注》於「笛」字下言：「篴、笛古今字」，「由與逐皆三部聲也，古音如逐，今音徒歷切。」滌、笛古音在幽部，逐在覺部，多對轉相通[73]，而三字今音皆「徒歷切」。然「篪」，古音在歌部，今音「直離切」，不管古今音皆與「笛」異，則段玉裁之說爲是，也即：笛乃篴而非篪。又據郭德淮之說：曾侯乙墓出土的橫吹竹管樂器是篪。篪是一種似笛非笛的橫吹竹管樂器。它也有七個孔，但「一吹孔和一出音孔開在管身兩端近旁，五個指孔平行開在與吹孔、出音孔呈九十度的管身一側。……吹奏時，雙手執篪端平，手心向裡（不像今之操笛，手心向下），篪身橫向而吹，此即『橫吹』；……兩端封閉，即所謂『有底』。笛與篪的根本區別，正在於無底與有底。笛爲開管樂器，篪爲閉管樂器，它們是音律體系完全不同的兩種樂器。[74]」

據以上所述，可知曾侯乙墓出土之橫吹竹器是篪而不是笛。然而曾侯乙墓的篪並不是笛，但卻不能因爲沒有實物出土就懷疑〈笛賦〉的可靠性，因爲沒有實物出土並不代表當時沒有這些器物。《初學記》引《風俗通》曰：「笛，漢武帝時丘仲所作也。」徐堅即言：「宋玉有〈笛賦〉，玉在漢前，恐此說非也。」另外《周禮·笙師》的記載也可證明「笛」早就存在了。

(七)〈笛賦〉與其他宋玉賦作的關係：

朱碧蓮《楚辭論稿》云：

> 〈笛賦〉先從竹子之生，得天地陰陽之氣滋潤寫起，名樂師師曠目睹其異，命巧匠製爲笛，遂令名家演奏，其樂聲或高昂，或低佪，或淒怨，或奔放，無不美妙感人。值得注意的是描寫笛聲之後對音樂的教化作用的看法，頗與儒家的樂論一致。

朱氏更援引《論語》孔子論鄭聲、論〈關雎〉，來證明〈笛賦〉「夫奇曲雅樂……周人傷〈北里〉也」一段及亂詞「美風洋洋」以下四句，是篇末點題，借詠笛而喻求賢，同時又警告楚王已與殷紂沈湎聲色相仿。因此又說：

可見〈笛賦〉的構思方式、段落層次與〈高唐賦〉、〈釣賦〉等有異曲同工之妙。(75)

惜朱氏並未論及〈笛賦〉與〈釣賦〉的關係。但個人以爲因題材、主題之異，〈笛賦〉與〈釣賦〉之構思方式、段落層次等並無同工之妙。至於篇末揭示寓意確爲〈笛賦〉與〈高唐賦〉共通處。然前文已提及，〈笛賦〉在傳世的宋賦中是體製較特殊的一篇，要探討它與其他宋賦的關係是比較困難。不過仔細比對，還是可以看出端倪的：

〈笛賦〉正文部分採用韻散夾雜的行文方式，與〈高唐〉、〈神女〉序文相近，只是沒有主客問答。其次，連用三言句而變化其組織，也與〈高唐〉、〈神女〉類似。如：〈笛賦〉：「武毅發，沈憂結；呵膺揚，叱太一。」〈高唐賦〉：「思萬方，憂國害；開賢聖，輔不逮。」〈神女賦〉：「振繡衣，被袿裳，襛不短，纖不長。」再次，於文意承轉處，也與〈高唐〉、〈神女〉同樣用「於是」。〈笛賦〉：「於是乃使王爾……於是，天旋少陰，白日西靡。」全文「於是」二見且連用。〈高唐賦〉：「於是調謳……於是乃縱獵者……銜枚無聲。」亦是連用「於是」，另一處則在賦文首段：「於是水蟲盡暴」。〈神女賦〉則「於是」二見。這與漢以後散文賦轉折詞的多而有變化不同，顯示是較早期的作品。第四，善用聯綿詞，則與〈九辯〉〈高唐〉、〈神女〉同。〈笛賦〉雖僅四百六十言，但卻使用不少聯綿詞，如：磅礴、黯黮、般衍、瀾漫、淫淫、善善、洋洋、萋萋。尤其「黯黮」一詞比較特殊，但亦見於〈九辯〉。第五，巧用顏色字，與〈高唐〉、〈神女〉近似。〈笛賦〉出現如：朱天、皓日、素朝、白日、朱脣、皓齒、赪顏、玉貌、青雲等，與〈高唐〉：玄木、綠葉、紫裹、丹莖、白蒂，〈神女〉：白日、玉顏、朱脣等皆是用顏色字爲加詞的語彙。除上述五點外，〈笛賦〉「其陰則……；其東則……；其南則……；其西則涼風遊旋，吸逮存焉」一節，利用方位變化鋪寫竹子生長環境的特殊，與〈高唐賦〉寫不同空間的高唐盛景，的確有異曲同工之妙。

綜上所述，可見〈笛賦〉雖題材、主題以至體製皆與其他宋賦不同，但其行文、造句遣詞及表現手法卻有共通之處。

(八)〈笛賦〉與後代音樂賦的關係：

朱碧蓮以爲，若無〈笛賦〉則無後人賦洞簫、琵琶、琴笙之作。這個論點是否成立，就得看〈笛賦〉是否產生在王褒〈洞簫賦〉之前，及王氏之賦是否承襲〈笛賦〉而作。再者，前人因馬融〈長笛賦．序〉之言，而懷疑〈笛賦〉是馬融之後的作品。另外，枚乘〈七發〉雖非音樂賦，但其中一段論及音樂，與〈笛賦〉關係密切，加上枚乘又是漢初賦家，其作可能影響王、馬，甚至如果〈笛賦〉是僞作，也有可能承襲〈七發〉論樂一段。因此本節擬先比較〈笛賦〉與〈七發〉論樂一段，以探討二篇之先後。其次再通過〈笛賦〉、〈洞簫賦〉、〈長笛賦〉的比對，以考查諸作的先後及彼此的關係。

枚乘〈七發〉論樂一段只有兩百餘字，篇幅僅〈笛賦〉之半，但因〈七發〉論音樂只是七事之一，而且不是重點所在，其篇幅較〈笛賦〉短小，自然不足爲奇。全文可分爲五部分：

龍門之桐，高百尺而無枝；中鬱結之輪菌，根扶疏以分離。（一）上有千仞之峰，下臨百丈之谿，湍流溯波，又澹淡之，其根半死生。冬則烈風漂霰，飛雪之所激也；夏則雷霆霹靂之所感也。朝則鸝黃鳱鴠鳴焉，暮則羈雌迷鳥宿焉。獨鵠晨號乎其上，鵾雞哀鳴翔乎其下。（二）

於是背秋涉冬，使琴摯斫斬以爲琴。野繭之絲以爲弦，孤子之鉤以爲隱，九寡之珥以爲約。（三）

使師堂操張，伯子牙爲之歌。歌曰：「麥秀蔪兮雉朝飛，向虛壑兮背槁槐，依絕區兮臨迴溪。」（四）

飛鳥聞之，翕翼而不能去；野獸聞之，垂耳而不能行；蚑蟜螻蟻聞之，拄喙而不能前。（五）

這五部分，一是寫桐之形態，二是寫桐的生長環境，三是寫製成琴，四是寫操琴唱歌，五是寫琴音歌聲之感物。這樣的段落結構與〈笛賦〉大體相同。然而究竟是〈七發〉擬〈笛賦〉，抑或是〈笛賦〉襲〈七發〉？個人以爲當是〈七發〉承襲〈笛賦〉而作，理由如下：其一，〈七發〉「上有……之谿」兩句乃化用〈笛賦〉「磅磄千仞，絕谿凌阜」二句來，而且加上對仗。其二，〈七發〉寫桐生長環境，分別以冬、夏寫氣象之異，以朝、暮寫鳥宿、鳥鳴，〈笛賦〉則從北、東、南、西寫其氣候之異。〈七發〉寫到朝、暮，又擴及鳥類生態的描繪，後之〈洞簫賦〉、〈長笛賦〉亦然。其三，寫音樂之感染力，〈笛賦〉著重寫感人，其寫感物，僅「麥秀蔪兮鳥垂翼」一句，而〈七發〉則全力寫音樂之感動鳥、獸，此亦影響後之〈洞簫賦〉、〈長笛賦〉。如〈笛賦〉在後，則應受〈七發〉影響，而大寫樂聲之感動禽獸。然〈七發〉何以不學〈笛賦〉寫感人，蓋因太子並未聞樂而去病。其四，〈七發〉「麥秀蔪兮雉朝飛」及「飛鳥聞之，翕翼而不能去」顯然由〈笛賦〉「麥秀蔪兮鳥垂翼」句來。其五，〈七發〉論樂一段，雖篇幅短小，亦未極力鋪陳，但已有漢賦連用相同部首之字及連用同類名物之傾向，〈笛賦〉則無。

據以上分析，可知〈笛賦〉可能產生在〈七發〉之前。以下再從幾個方面來比較宋、王、馬之作，以探討三賦之關係及其先後。

就敘述觀點言：宋玉〈笛賦〉開篇：「余嘗觀於衡山之陽，見奇篠異幹，罕節簡枝之叢生也。」王褒〈洞簫賦〉：「原夫簫幹之所生兮，于江南之丘墟。洞條暢而罕節兮，標敷紛以扶疏。徒觀其旁山側兮……。」馬融〈長笛賦〉：「惟籦籠之奇生兮，于終南之陰崖。……特箭槀而莖立兮，獨聆風於極危。」從篇首文字即可知〈笛賦〉一開始就表明是第一人稱的敘述觀點，〈洞簫賦〉則直到第五句，才表明「徒觀」。〈長笛賦〉則第三人稱的敘述法，與〈七發〉開篇同。

就篇幅大小言：〈笛賦〉四百六十字，〈洞簫賦〉則近千言，〈長笛賦〉則有一千五餘字。依賦體發展看，〈笛賦〉如非魏晉以後作品，則當是西漢初年以前所寫。

就段落結構言：三賦雖篇幅有長短之異，但賦文段落結構卻大體相同。也即：先寫竹之形態，次寫竹之生長環境，三寫製成樂器，四寫演奏情況，五寫音樂之感染力，末寫音樂之教化作用。而馬融〈長笛〉則多笛與他類樂器比較一節。三篇段落結構大體相同，而篇幅差異頗巨，顯見王賦承宋賦有所擴展，而馬賦又襲王賦而極力鋪陳。

就體製句式言：〈笛賦〉韻散夾雜，且是散體賦、騷體賦的混合體。除開篇是散句、奇句外，「宋意將送荊卿於易水之上……於是天旋少陰，白日西靡」一段，及亂詞之前「夫奇曲雅樂，所以禁淫也……周人傷北里也」一段也是散句，餘則爲韻文。韻文部分，亂詞是騷體，採「四三兮」句式；餘則如散體賦，有四四句、三三句、五五句、六六句等。王褒〈洞簫賦〉則大體是騷體賦，以「六兮六」句式爲主，而雜以其他句式，然末段句法改變，前半亦是騷句，但皆是超過「六兮六」之長句，後半則以四字句爲主。亂詞亦變楚騷句法爲「四四三兮」偶雜「四三兮」。〈長笛賦〉亦是韻散夾雜，且是散體賦、詩體賦、騷體賦的混合體。全文以「四四」句式最多，間雜「六兮六」騷句，「三三」句則較少，最特別的是「屈平適樂國」一節連用十二句五字句，似五言詩，而亂詞十句，連用七字句，似七言詩。就體製言，〈笛賦〉韻散夾雜，前爲散體賦，後爲騷體，顯然是散體賦、騷體賦初步融合，〈洞簫賦〉則爲騷體賦，然因時代風氣影響，亦雜糅散體賦，至〈長笛賦〉則打破詩、騷、散三賦體界限。就句式言，〈笛賦〉騷句與賦句分別明顯，到〈洞簫賦〉則騷句、賦句雜用，但仍以騷句爲多；至〈長笛賦〉亦是騷、賦句雜用，然四言句比例大增，且又出現五言、七言詩句。然則就體製、句式觀之，宋賦亦在王、馬賦之前。

就遣詞用字言：〈笛賦〉少見同部首字連用及同類名物堆疊。然〈洞簫賦〉已見同部首字連用，如：「或渾沌而潺湲兮」，「啾咇嚌而將吟兮」；而同類名物之堆疊則更多，如：「是以蟋蟀蚸蠖，蚑行喘息；螻蟻蝘蜓，蠅蠅翊翊」，「孤雌寡鶴娛優乎其下兮……玄猿悲嘯搜索乎其間」。到〈長笛賦〉，這兩種現象更加厲害，即以首段爲例，如：「于是山水猥至，渟涔障潰。頹淡滂流，碓投瀺穴。爭湍苹縈，汩活澎濞」；「猨蜼晝吟，鼯鼠夜叫。寒熊振頷，特麚昏髟。山雞晨群，野雉朝雊。」其次，承接轉折詞之運用，〈笛賦〉僅「於是」二見，〈洞簫〉則以「於是」、「若乃」、「故」、「是以」等詞來承轉；到〈長笛賦〉則除「於是」三見外，又用「然後」、「乃」、「或乃」、「是以」、「若然」等。這類關係詞的多用而有變化，亦可見王、馬二賦在宋賦之後。

以上乃就形式方面論之，以下則就三賦表現之內容來看：

從寫竹之形態及生長環境看：〈笛賦〉從開篇到「幹枝洞長，桀出有良」共十九句。〈洞簫賦〉從開篇到「宜清靜而弗諠」，共三十句。〈笛賦〉寫竹「奇篠異幹，罕節簡枝」，〈洞簫賦〉則云「洞條暢而罕節兮，標敷紛以扶疏」，顯然是融合〈笛賦〉、〈七發〉文句。又，〈笛賦〉寫竹之生長環境主要寫其地之自然景觀及不同方位之氣象；〈洞簫〉除寫自然景觀外，又強調竹生該處，乃「感陰陽之變化兮，附性命乎皇天」，並鋪陳此地有各種禽獸棲息活動，此則又承〈七發〉。〈長笛賦〉從篇首到「通旦忘寐，不能自御」，共六十餘句，除承〈洞簫〉又極力鋪寫外，更擴及形容竹生長環境之自然天籟，並寫其感動放臣逐子、棄妻離友。

從寫樂器之製作看：〈笛賦〉寫師曠得竹之雄，宋意得竹之雌，於是使王爾、公輸之徒製爲笛。〈洞簫賦〉則除寫般匠夔襄製簫外，更進而描繪簫之形狀及其裝飾。〈長笛賦〉則先寫取竹之艱難，以照應上文環境的描繪，一方面也反映笛得來不易；次寫長笛製作之精美，再寫奏笛者也需反復練習及高深之音樂修養⑯。

從演奏情況之描繪看：〈笛賦〉從「於是天旋少陰，白日西靡。命嚴春，使午子」以下用「延長頸，奮玉手，摛朱脣，曜皓齒，頳顏臻，玉貌起」六句寫吹笛情態，「吟清商，追流徵。歌伐檀，號孤子」四句寫所奏曲調。〈洞簫賦〉則從「于是乃使夫性昧之宕冥」到「與謳謠乎相和」兩大段，極力形容奏簫者的吹奏技藝。與〈笛賦〉不同的，〈洞簫賦〉突出演奏者爲盲人，所以能「寡所舒其思慮兮，專發憤乎音聲。故吻吮值夫宮商兮，和紛離其匹溢。形旖旎以順吹兮，瞋𡄷𢗶以紆鬱。」與宋、王二賦比，馬融之作更是不遺餘力的鋪寫演奏情況，及其音樂的豐富多變。

從音樂感染力的形容看：〈笛賦〉從「發久轉，舒積鬱」開始寫音樂之感人，「其爲幽也，甚乎懷永抱絕，喪夫天，亡稚子」，既可「慷慨切窮士」，又可「歌壯士之必往」，還能「招伯奇於涼陰，追申子于晉域。」可說全賦最著力處，即在寫音樂之感人。至〈洞簫賦〉則運用各種比喻形容巨音妙聲如何，武聲、仁聲又如何；又寫音樂可以感化貪饕、狼戾，既能使名樂師袖手，又能使兕頑之士改變，眞可謂「聚天下情事於筆端⑰」。可見王賦亦全力寫音樂之感人，而所言及之人事較〈笛賦〉更廣。或許王賦已將音樂之感「人」形容盡致，是以馬作不只寫音樂之感「人」，還寫出音樂之感「物」，更寫出長笛音樂之象徵意義。

從音樂教化作用的體認看：〈笛賦〉提出「禁淫」，〈洞簫〉則云：「故知音者樂而悲之，不知音者怪而偉之。……況感陰陽之和而化風俗之倫哉！」寫及音樂不僅能教人，尚能化物。〈長笛〉則在比較笛和各種樂器後，指出「唯笛因其天姿，不變其材」，所以才能奏出美妙悅耳的音樂，並上升到哲理（「簡易之義」）、治國（「賢人之業」）和宣揚漢威（「況笛生乎大漢，……可以禆助盛美」）的高度⑱。

從亂詞內容看：〈笛賦〉是總結全賦，前四句贊竹，中四句頌笛，末三句自抒情志。〈洞簫賦〉則前半贊美笛聲，後半自「賴蒙聖化」以下，則是「借『托身軀于后土』，『附性命乎皇天』的洞簫，寓托內心『蒙聖主之渥恩』的情愫，以達到對皇朝歌功頌德的目的。⑲」〈長笛〉篇末「其辭曰」以下七言詩十句則是指明長笛的來源和發展。

綜上所述，可知就作品形式言，從〈笛賦〉到〈洞簫賦〉到〈長笛賦〉的承傳變化是符合賦體從先秦到西漢到東漢的發展的。而自作品內容看，〈洞簫賦〉多承〈笛賦〉及〈七發〉論樂，然亦有所鋪陳擴展，且另出新意。〈長笛賦〉則又承〈洞簫賦〉而突出哲理意義，此亦因馬氏爲儒學大師之故⑳。然就三賦之表現言，〈笛賦〉產生時代必是最早，而與〈七發〉較之，則〈笛賦〉亦在其前，此亦可證明〈笛賦〉可能爲宋玉所作。

結論

本文在前人或否定或肯定宋玉作〈笛賦〉的論辨基礎上，從八個方面探討〈笛賦〉的眞僞。其結論如下：

其一，〈笛賦〉雖有「宋意將送荊卿」句，但就宋玉存世時間觀之，是可能聽聞荊軻刺秦事，且以之入賦的。

其二，陸侃如賦史進化三期說是有問題的。就〈笛賦〉體製看，應是具有獨創性的作家所寫，而不是模擬作僞者可爲。

其三，就〈笛賦〉押韻現象分析，較合乎先秦情況，而與三國魏晉以後不同。

其四，從〈笛賦〉之遣詞看，亦可見「書楚語，作楚聲，記楚地，名楚物」之特色。

其五，〈笛賦〉雖出自《古文苑》，但比對《文選》李善注及《初學記》、《藝文類聚》，再參考後人運用〈笛賦〉文句的情形，可見今傳〈笛賦〉自漢迄唐並未失傳。

其六，利用考古文物，可以幫助解決眞僞問題，但必須參考載籍，小心考證。不能據曾侯乙墓出土的篪就論定〈笛賦〉是宋玉所作，但無實物出土，並不代表當時無此物。據文獻所載，先秦已有笛，則宋玉有寫作〈笛賦〉之可能。

其七，從〈笛賦〉韻散夾雜的行文方式、三言句的句式變化及特別語詞的運用，和注重方位的表現手法，可見〈笛賦〉與其他宋作有共通處。

其八，通過〈笛賦〉與枚乘〈七發〉、王褒〈洞簫賦〉、馬融〈長笛賦〉的比對，可見諸作關係。分析各篇之內容、形式，依賦體發展看，應是〈笛賦〉啓示〈七發〉論樂一段，而〈笛賦〉、〈七發〉又影響〈洞簫賦〉，至於〈長笛賦〉則又承〈洞簫賦〉作。

綜上所論，否定〈笛賦〉爲宋玉所作的理由都有問題，而肯定〈笛賦〉是宋玉所作的資訊又不少，所以說〈笛賦〉絕對可能是宋玉的作品，若然則不應目之爲僞作，且輕易剝奪宋玉之著作權。

【附註】

① 參見陸侃如〈宋玉賦考〉（《讀書雜誌》第十七期，一九二二年八月）、〈宋玉評傳〉（《小說月報》十七卷外號，一九二七年六月，又收入鄭振鐸編《中國文學研究》），游國恩《楚辭概論》頁二二六至二二九（原商務印書館一九二七年出版，九思出版社民國六十七年二月台一版），劉大白〈宋玉賦辨僞〉（出處同陸氏〈宋玉評傳〉）。

② 如中國社會科學院研究所中國文學史編寫組《中國文學史》即採用胡念貽之說（人民文學出版社一九六二年七月第一版），而游國恩、王起等主編之《中國文學史》則仍以爲《文選》五篇不是宋玉之作（人民文學出版社一九六三年七月第一版）。

③ 見吳九龍《銀雀山漢簡釋文》（文物出版社一九八五年出版）。

④ 如湯漳平〈宋玉作品眞僞辨〉（《文學評論》一九九一年第五期）、趙明主編《先秦大文學史》（吉林大學出版社一九九三年一月第一版）、郭杰等著《先秦詩歌史論》（吉林教育出版社一九九五年十二月第一版）、方銘《戰國文學史》（武漢出版社一九九六年十月第一版）。

⑤ 參見《中國文學研究》頁四七、四八（民國五十九年台北明倫出版社翻印本）。

⑥ 見《楚辭概論》頁二二七、二二八。

⑦ 見《中國文學研究》頁二三。

⑧ 藝文百部叢書集成影印守山閣叢書本及四部叢刊本《古文苑》及嚴可均輯《全上古三代文》「生」字皆作「離」字。此當劉氏誤書或手民誤植。

⑨ 同注⑦頁二四、二五、二九。

⑩ 胡氏此文見（《文學遺產》增刊第一期，一九五五年九月）。

⑪ 湯氏此文見《文學評論》一九九一年第五期。

⑫ 成氏此文見《江漢論壇》一九八五年第七期。

⑬ 所謂唐勒賦殘篇即一九七二年臨沂銀雀山出土之唐勒、宋玉對楚王言御殘篇。

⑭ 譚氏此文見《文學遺產》一九九〇年第二期。

⑮ 參見朱碧蓮《楚辭論稿》頁二〇三、二〇四（三聯書店上海分店一九九三年一月第一版）。

⑯ 載《書目季刊》二十八卷第二期，民國八十三年十二月。

⑰崔述據庾信〈枯樹賦〉、謝惠連〈雪賦〉、謝莊〈月賦〉言：「假託成文，乃詞人之常事。然則……〈神女〉、〈登徒〉亦非宋玉之所自作，明矣。」（見《考古續說》卷一〈觀書餘論〉。）崔氏說與〈笛賦〉無關，故前文未提及。

⑱游國恩《楚辭概論》：「其實荊軻刺秦王，在楚王負芻元年（前二二七），假使宋玉及見此事，亦不過七十歲，也許他此時還不曾死，故這條不能作證。」（見頁二二八）

⑲見鄭良樹〈論宋玉賦的眞僞〉（《書目季刊》二十八卷第三期，八十三年十二月）。

⑳參見胡念貽〈宋玉作品的眞僞〉（《文學遺產》增刊第一期，一九五五年九月）。

㉑見曹明綱〈宋玉賦眞僞辨〉（載《上海師範學院學報》一九八四年第二期）。

㉒同注⑲。

㉓同注⑮。又，上引曹、朱二氏說是針對《文選》所載宋玉諸賦而言，但《古文苑》所錄宋玉諸賦較之《文選》所載，更是「篇幅短小，鋪張揚厲初具規模」，因此二氏所論亦可適用《古文苑》所載宋賦。

㉔同注⑲。

㉕參見譚家健〈唐勒賦殘篇考釋及其他〉（《文學遺產》一九九〇年第二期）。

㉖參見湯漳平〈宋玉作品眞僞辨〉（《文學評論》一九九一年第五期）。

㉗同注⑲。

㉘參見劉大白〈宋玉賦辨僞〉（出處見注①）。

㉙同注⑳。
㉚本文古韻分部及名稱採陳師新雄《古音學發微》之說（文史哲出版社民國六十四年十二月再版）
㉛見陳師新雄《古音學發微》頁九三六至九三九、一〇五五、一〇五六。
㉜參見簡宗梧〈神女賦探究〉（收入東大圖書公司出版《漢賦史論》民國八十二年五月初版）。
㉝參見羅常培《漢魏晉南北朝韻部演變研究》頁三四（北京科學出版社，一九五八年）。
㉞同注㉛頁九〇八、九〇九、一〇七三。
㉟同注㉝頁四五、五六。
㊱同注㉛頁一〇七〇及注㉟。
㊲參見拙著《楚辭三九暨後世以九名篇擬作之研探》頁四九二（國立台灣師範大學七十五年碩士論文）。
㊳同注㉛頁九〇九。
㊴同注㉛頁一〇五二。
㊵同注㉟。
㊶「楚」字今閩南方言仍讀〔〇〕韻。
㊷參見周祖謀〈魏晉宋時期詩文韻部的演變〉（《中國語言學報》第一期，一九八二年十二月）。
㊸同注㉛頁一〇四八。
㊹同注㉟。

㊺〈笛賦〉：「於是乃使王爾、公輸之徒，命妙意，角較手，遂以爲笛。於是天旋少陰，白日西靡。命嚴春，使午子……歌伐檀，號孤子。」在「命嚴春」以下連用三字句才又開始押韻。

㊻同注㉛頁一〇六四。

㊼同注㉟頁三三一。

㊽同注㉛頁一〇五六、一〇五七。又，段玉裁則將《廣韻》物、薛韻同入第十五部。

㊾參見簡宗梧〈高唐賦撰成時代之商榷〉（《漢賦史論》）頁八四。

㊿同注㉝頁四二。

51 同注㉟。

52 同注㉛頁一〇五九。

53 同注㊷頁一〇九。

54 同注㉝頁一六。

55 同注㊷頁一〇一。

56 參見注⑳、注⑮頁一九八。

57 同注⑲。

58 案：《古文苑》載此賦云「奇篠異幹」，此疑脫，彼「幹」即「簳」字耳（見胡克家《文選考異》卷一）。

59 案：「長」字不當有，各本皆衍（見胡克家《文選考異》卷五）。

⑥⓪《初學記》此節收在「事對」下，賦文缺。

⑥①同注⑥⓪。

⑥②同注⑥⓪。

⑥③見《直齋書錄解題》卷十五。解題係據韓元吉《古文苑．原序》之說。

⑥④見《四庫全書總目提要》第五冊頁一五(台灣商務印書館影印武英殿本)。

⑥⑤參見張滌華《古代詩文總集選介》頁五六（國文天地雜誌社民國七十九年三月初版原上海古籍出版社一九八五年十月第一版）。

⑥⑥見《古文苑》卷首（藝文印書館百部叢書集成守山閣叢書本）。

⑥⑦鄭良樹〈論《宋玉集》〉據古注、類書及相關古籍，考察《宋玉集》的內容，又根據《宋玉集》流傳情形，推測其亡佚在入宋之前。（《故宮學術季刊》十二卷，第三期，民國八十四年春季號。）

⑥⑧同注⑲。

⑥⑨〈嘯賦〉「發妙聲於丹脣，激哀音於皓齒……協黃宮於清角，雜商羽於流徵」，顯然化自〈笛賦〉「摛朱脣，曜皓齒……吟清商，追流徵。」又，「收激楚之哀荒，節北里之奢淫」，亦與〈笛賦〉「夫奇曲雅樂，所以禁淫也……檀卿刺鄭聲，周人傷北里也」有關。再者，「總八音之至和，固極樂而無荒」寓意也同〈笛賦〉「八音和調成稟受兮，善善不衰爲世保兮」相近。

⑦⓪「玉貌」一詞亦見於《戰國策．趙策》，但用法不同，形容美色則首見於〈笛賦〉。

⑪〈七啓〉寫聲色之妙：「揚北里之流聲，紹陽阿之妙曲」，「於是爲歡未渫，白日西頹」，「動朱脣，發清商」，與〈笛賦〉「周人傷北里也」，「於是天旋少陰，白日西靡」，「摛朱脣，曜皓齒……吟清商，追流徵」，頗有關聯。

⑫〈笛賦〉與〈七發〉關係擬於後文論述。

⑬同注㉛頁一〇三八。

⑭參見郭德淮《藏滿瑰寶的地宮——曾侯乙墓綜覽》頁七一、七二（文物出版社一九九一年二月第一版）。

⑮同注⑮。

⑯參見霍旭東等編《歷代辭賦鑒賞辭典》頁二七九（安徽文藝出版社一九九二年八月第一版）。

⑰同注⑯頁一五七。

⑱同注⑯。

⑲同注⑰。

⑳同注⑯。

《山海經》「樂園」神話的文化意涵

范宜如

一、前言

神話是人類原始文化的產物，反映了古代人類對自然現象的理解。魯迅在《中國小說史略》中提出：「昔者初民，見天地萬物，變異不常，其諸現象，又出於人力所能以上，則自造衆說以解釋之：凡所解釋，今謂之神話。」劉大杰則以爲「遠古的神話，都是原始社會勞動人民集體的口頭創作。在有文字以前，已經廣泛的流傳在人民的口頭。它們流傳日久，使得故事的內容複雜化美麗化，而成爲初民在生產勞動的過程中，對於自然現象的解釋，對於自然界的鬥爭和願望以及全部社會生活在藝術概括中的反映。」原始的人類根據自身的生命體驗，以解釋生活周遭的種種困厄及疑惑，以幻想形式解釋世界之樣貌；如卡西勒（Ernst Cassirer）所言：「神話是文化最深層的部份，係人類心靈自動之反映。」神話學者坎伯（Joseph Campbell）以爲：「神話是衆人的夢，是溝通意識與無意識的橋樑；它是一種與夢相似的象徵符號，激發並支配人類的心理力量。」可見神話爲宇宙與人類生命內在意義的表現。循此，我們研讀神話，除了滿足內心對奇詭瑰麗的文學世界之嚮往，也是在解讀人類心理活動的原型現象（archetypal phenomenna）。人類經驗的主要類型，有其永恆象徵；當類似的母題與主題，出現在不同背景的神話中；時常出現於神話中的某些意象，勾勒出某些類似的心理反應，因而顯示其共通之意義，這些母題與意象便稱爲「原型」。①當我們理解神話是一種象徵符號，是人類心靈的投射，我們也正在解讀個體與群體的存在與安頓，一則則人類生命史的軌跡。如此，「原型」現象的詮解，方具有文學與文化的深層意義。

《山海經》向來被視爲保存神話資料最豐富的一部書。其內容包羅萬象，除了神話傳說外還包括地理、歷史、宗教、民俗、曆象、動物、植物、礦物、醫藥、人類學、民族志、地質學等資料；類似一本古代人們生活日用的百科全書。②因而此書的性質亦有不少爭議，這些爭議，即反映在對此書的分類上。如《漢書．藝文志》列之於數術略之形法類，《隋書．經籍志》列於史部的地理類，《四庫全書》列於子部的小說家類。袁珂以爲紀昀之分類較爲恰當，但因本文關懷的重點不在於《山海經》的分類問題，故此處不擬討論。③然則《山海經》卻因其內容的豐富及多元，提供了我們對於初民所認知的世界之了解，進而解析其內在的神話思維。思維是人類有意識的認識活動，是運用概念進行分析、綜合、判斷、推理的活動過程。④神話思維是神話的內在意識，是人類自身的生命融滙到宇宙自然之中，通過對自身生命的現象，所反映出來的各種感覺，來解釋自然現象。在前人的研究中，依據有系統的分類，將《山海經》中的神話分爲自然現象神話、大地神話、山嶽信仰與樂園神話、動植物變化神話，以及神尸變化神話和文化英雄神話等。⑤這些神話都表達了民族隱藏在內心的理想與願望；同時經由神話的思維方式，也獲得心靈層次的滿足。本文擬以樂園神話⑥爲研究主題，思考先民潛藏在心靈對自我、空間、以及社會群體的觀念；並進而探索其文化意涵。

二、山海經中的樂園圖象

「原始神話」其實是「完美神話」，是先民對超乎能力範圍的事物之內在慾望。樂園即是人類希望的投影。無論是樂土、樂園、天堂、仙鄉、烏托邦、理想國、桃花源等，都是想像中一個美好快樂的地方。生而爲人，就必須面對生命和生活的種種欠缺與悲苦，現實情境若難以改變，遂藉由想像而構築一個溫暖有希望的生活。尤其是處在飽受洪水之患及猛獸攻擊的初民們，他們的「樂園」乃植根於現實環境，呈現一種素樸的原始面貌；是人尚未與自然分離、主體意識仍融於自然韻律的時代。⑦

如〈南山經〉裡的描述：

> 南山之首曰䧿山，其首曰招搖之山，臨于西海之上。多桂、多金玉。有草焉，其狀如韭而青華，其名曰祝餘，食之不飢。有木焉，其狀如穀而黑理，其華四照，其名曰迷穀，佩之不迷。有獸焉，其狀如禺而白耳，伏行人走，其名曰狌狌，食之善走。麗麂之水出焉，而西流注于海，其中多育沛，佩之無瘕疾。
>
> 侖者之山，其山多金玉，其下多青雘。有木焉，其狀如穀而赤理，其汁如漆，其味如飴，食者不飢，可以釋勞。

作爲一部中國最早的人文地理誌，記載的主體不免爲山川、動植物產、及地下礦產等；但一再強調其草木的獨特功能，具有使人「不飢」、「不迷」之特質時，不也意味著人在自然世界中的匱乏？再如杻楊之山「有獸焉，其狀如馬而白首，其文如虎而赤尾，其音如謠，其名曰鹿蜀，佩之宜子孫。」人的確是在自然的化育中存在並且繁衍，在宇宙的場域中，生命的流動與變化，則同稟於自然之氣而生生不息。

其他如：

不周之山，……爰有嘉果，其實如桃，其葉如棗，黃華而赤柎，食之不勞。（西山經）

昆侖之丘，實惟帝之下都，……有木焉。其狀如棠，黃華赤實，其味如李而無核，名曰沙棠，可以禦水，食之使人不溺。有草焉，名曰薲草，其狀如葵，其味如葱，食之已勞。（西山經）

使人「食之已勞」的薲草，使人「食之不勞」的沙棠，正是令人嚮往的「帝之下都」之特產。雖然這些地點並未直接指涉爲「樂園」，但都有紛然並陳的珍奇異物，可以消解人世間的種種憂難。再如〈中山經〉的牛首之山，「有草焉名曰鬼草，其葉如葵而赤莖，其秀如禾，服之不憂。」陰山「多礪石、文石。少水出焉，其中多彫棠。其葉如榆葉而方，其實如赤菽，食之已聾。」以及〈西山經〉裡的崦嵫之山「其上多丹木，其葉如穀，其實大如瓜，赤符而四理，食之已癉，可以禦火」以及〈北山經〉丹熏之山「耳鼠，食之不睬，又可以禦百毒」等也呈現了相同的景觀。

由此可以看出樂園的原型，並非縹緲不可及的仙山，而是相對於人類最原始的需求：衣食不虞匱乏，可以避免外在的災禍。所以侖者之山木「食者不飢，可以釋勞」，昆侖之丘的薲草「食之已勞」，不周之山的嘉果「食之不勞」，都揭示一個實然的地點，那裡的自然生物可以解決人類生存的基本問題。除了「食」的基本需求外，人還希望消弭人間的疾病窘困，於是陰山之葉「食之已聾」，幃山之飛魚「服之不畏雷，可以禦兵」，薰草「佩之可以已癘」；沙棠「可以禦水，食之使人不溺」，育沛則「佩之無瘕疾」；其它如「食之無蠱疫」〈中山經〉、「飲之者不心痛」〈中山經〉「食之已狂」〈北山經〉、「食之已痔衕」〈中山經〉、「食之已癭」（中山經）等皆是出於初民內在的需求。

馬斯洛（Maslow）將人類的基本需求分爲六大類：生理的需要（Physiological need）、安全的需要（safty need）、相屬和相愛的需要（belongingness and love need）、受人尊重的需要（esteem need）、自我實現的需要（need fot self-actualization）、愛美的需要（aesthetic need），除了第一種生理性的需求外，其餘五種皆是心理性的需要。⑧以此解讀樂園的原型，應是可以成立的。其中的異果珍實，在滿足生存的基本功能之餘，更標示了初民內在的心理思維。當「佩之不惑」、「佩之不迷」與「服之不憂」的草木屢屢被標示成某座山的特殊物類，不啻點出心理層面的憂懼：生而爲人，有著對於外在世界的無力掌控，對於內心深層的迷惘；可以解憂、去迷的珍草，也象喻著與未知世界的溝通，成爲樂土的嚮往。至於《南山經》中的鹿蜀，「佩之宜子孫」的觀念則又暗示著先民繁衍後代，福被子孫的願望。畢竟在遙遠的洪荒時代，人是以其「自然人」的形態，相應於宇宙的基本規律而活著；「樂園」雖是一個虛構的世界，卻展示著初民的生活形貌，並且眞實的體現在大地的脈絡之中。

卡西勒（Ernst Cassirer）曾指出：神話的基本趨向是一種賦予事物以生命的趨向，即用一種具體的直覺方式理解和表現物質存在的一切因素。⑨因此，在神話世界中，它一方面展示著概念的結構，同時，它也展現著感性的結構，使得神話中的「實然」事實，又形成了具有生命及時空意義的感性存在。這種特質在《山海經》中屢屢出現，使沉寂的大地展現多樣的生命形式。在其中我們看到人與自然的融合，一個群體和諧的樂園世界。

> 西南黑水之間，有都廣之野，后稷葬焉。爰有膏菽、膏稻、膏黍、膏稷。百穀自生，各夏播琴。鸞鳳自歌，鳳鳥自舞，靈壽實華，草木所聚。爰有百獸，相群爰處。（海內經）

這個「都廣之野」可以說是人們夢中的樂園；百穀自生，不必以勞動之汗水換取生活之基本需求；不必擔憂天災地變，而能享有欣欣的榮木、豐盈的果實。鳳鳥自歌自舞，自然界的動、植物以乎都有一層靈性，人獸之間和平自由的關係更展現出生命的和諧韻律。

李維史特勞斯（Claude Levi-strauss）曾說：「神話思想的成分以總是介於知覺對象與概念之間。不可能使知覺對象與它在其中出現的具體情境分開。⑩」是故，《山海經》中「樂園」的確以其「實然」的具體情境展開；不單在「都廣之野」，如「諸夭之野」、「沃之野」、「有載民之國」等，皆有樂園之氛圍：其一爲基本物質生活的富裕，「不績不經，服也。不稼不穡，食也。」這種衣食不虞匱乏的生活需求得到滿足；其二精神生命得到紓解，凡所飲所食皆可「所欲自從」。這個「欲」字應該同時涵括精神與物質雙方面，而且是掌控在自己手中。其三是萬物與自然的共融。前段我們已指出樂園的原型已暗示著初民的嚮往與期待，此處又出現了「民」（巫民、沃民）、百獸、鳳鳥（鸞鳥）等，他們「相群爰處」，並沒有強勢與弱勢的相互敵對或弱肉強食的自然天擇，相反的，他們似乎都找到最適進彼此的相處方式，展現了芸芸衆生相互的尊重與眞誠。試看以下的描述：

此諸夭之野，鸞鳥自歌，鳳鳥自舞；鳳自卵，民食之，甘露，民飲之，所欲自從也。百獸相與群居。（海外西經）

有臷民之國。帝舜生無淫，降臷處，是爲巫臷民。巫臷民朌姓，食穀。不績不經。服也。不稼不穡，食也。爰有歌舞之鳥，鸞鳥自歌，鳳皇自舞。爰有百獸，相群爰處，百穀所聚。（大荒南經）

有西王母之山、壑山、海山，有沃民之國，沃民是處。沃之野，鳳鳥之卵是食，甘露是飲。凡其所欲，其味盡存。爰有甘華、甘柤、白柳、視肉、三騅、璇瑰、瑤碧、白木、琅玕、白丹、青丹，多銀鐵。鸞鳥自歌，鳳鳥自舞，爰有百獸，相群是處，是謂沃之野。（大荒西經）

王母之山、沃之野、有臷民之國都是屬於「樂園」的場域，對百獸和平相處的一再描述，對飲食自有的嚮慕之感爲其主要基調。其中鳳鳥的出現似乎象徵著樂園的建立。⑪可以說鳳鳥就存於人間異境之中，〈西山經〉即點出鳳鳥是人間樂土的吉祥鳥，見了則天下安寧：

西南三百里，曰女床之山。其陽多亦銅，其陰多石涅，其獸多虎豹犀兕。有鳥焉，其狀如習而五采文，名曰鸞，見則天下安寧。

其它如〈南山經〉所言丹穴之山之鳳鳥有五采文：「首文曰德；翼文曰順，背文曰德，膺文曰仁，腹文曰信。是鳥也，飲食自然，自歌自舞，見則天下安寧。」〈海內經〉則云：「有鸞鳥自歌，鳳鳥自舞。鳳鳥首文曰德，翼文曰順，膺文曰仁，背文曰義，見則天下和。」鳳鳥在樂園中的出現，不僅展示了「自歌自舞」生命的自在自得，也有了人文與天文相互結合的理念。提示了「樂園」的人文意義——以自然之文建立人文新秩序。

三、樂園神話的理想建構

遠古的初民，爲一自然的有機體，有很強的與自然交感、與超越相通的想法；相對於文明階段的「歷史人」，他們對生命的體驗並非源於自身的反省或評價，而是以生存的大地爲一「生命的紀錄」。大地是一個整體的代表，一個地點既能表現一個具體的世界，如此對於地理情感的體驗就不是單一的。⑫從神話情節的角度思考，樂園是初民虛構的「實然情境」；但從神話的雙重結構來考察，它確實體現了初民的內在思維，至今「樂園」的名詞猶生動的描述了人類內心嚮往的快樂幸福所在。

神話的結構，不存在任何演繹、邏輯或歷史的狀態。因此，考察《山海經》中的樂園神話，不是以「價值判斷」探討先民的自覺意識；而是觀照土地的獨特形貌，如何標示人的存在。以前引〈南山經〉爲例「侖者之山，其山多金玉，其下多青雘。有木焉，其狀如穀而赤理，其汗如漆，其味如飴，食者不飢，可以釋勞。」其空間圖式爲：

地點（侖者之山）——植物（或生物）——植物提供的生理（或心理）效能

在山海經的空間敘事圖式中，人，只是一個「食者」，重點在於所處之地理景觀與生物狀態，具有滿足個人長壽永生之理想，才能形成原始的樂土；「昆侖」、「西王母之山」等，也成爲後世尋訪的仙鄉。值得注意的是對植物細緻的描述，先形容「其狀」，再寫「其味」，最後再指出其效能，如「佩之不畏」、「可以釋勞」，顯示對自然萬物深入的體會與觀察，以及人與物對等的思維方式。

生而爲人，原本就不能逃離「時空之網」。在宇宙的運行中，生老病死、災難與憂患隨時都可能降臨。人，究竟是湮沒在大地之上與萬物無所分別？還是可以找到一個所在，凸顯人作爲人的獨特意義？《山海經》中的樂園情境恰好給我們一個解答。生活的基本需求得到滿足，精神的心理需求得到慰藉；更重要的是，人在這裡找到了與自然相處的平衡點，原來，人是可以與萬物和平共處的。百穀自生，鳳鳥自歌自舞，大地上形形色色的生命正展現它的姿采。人類同時扮演著「演出者」與「旁觀者」的雙重角色。人逐漸要從「自然的有機體」走出，接近「文化的生命體」了。

生物的圓滿自足實際上是人類生存的一種投射作用，人們希望在宇宙的自然流轉中，人可以獲得理想的生存秩序。樂園雖然是一種與現世時空隔離的異質時空，但原始的世界裡，人與宇宙有相應的和諧。人文世界的和諧，並非遙不可及的幻夢，遠古的初民，透露著小宇宙的人、人群組成的世界是與大宇宙合奏太和之曲，這也是人類終極的理想；無論在洪荒的自然，還是在現世的文明社會。

四、結語

樂園在這個世界上是否眞的存在？若從文學形式解讀，我們無法確實「還原」樂園的場景，只是從文字的鋪展中，「重構」樂園的情境。本文由重構的詮釋角度，以山海經的文本進行解讀，從樂園的空間圖象理解先民潛在的理想與願望；並以基本需求的滿足、精神生命的紓解、萬物與自然的共融作爲樂園的共同氛圍；而提出樂園的理想建構乃在於人與自然的圓成。在這個人際疏離、人與自然遠離的時代，樂園神話的意涵，更能讓我們省思先民所建構的理想情境，不也正是現代人的夢想？從《山海經》的都廣之野，到《列子》的終北之國、華胥氏之國，乃至於「不知有漢，無論魏晉」的桃花源；它們或縹緲如列姑射山，或寫實如南柯太守之洞穴人生，卻同時展示了人類對時間的歎惘，對空間的期待；對人文與自然共融的願望，以及作爲一個人必然的限制與突破。樂園神話仍會在人間流傳，只要人類還有希望，樂園不必在遙遠的仙鄉，它可以活在每個人的心中。

【附註】

① 榮格以爲一個民族及集體潛意識中，貯存著人類往昔的經驗與神話象徵；當我們能和這些「象徵」和諧相處時，生命才能夠充實。他認爲神話是潛意識付諸意識心智狀態的媒介。參見李達三，〈神話的文學研究〉，收錄於《從比較神話到文學》（台北：東大圖書公司，民國六十六年）頁二八八—二八九，二九八—二九九。

② 袁珂，《中國神話史》，臺北：時報出版公司，民八十年，頁三八。

③ 關於這個問題，請參看前揭書及李豐楙，（山海經的編成與內容），見《山海經》（臺北：金楓出版社），蔡振豐〈《山海經》隱含的神話結構試論〉《中國文學研究》第八期，民國八十三年。

④ 恩斯特．卡西勒，《神話思維》，北京：中國社會出版社，一九九二年，頁二七。

⑤ 李豐楙，（山海經的編成與內容），見《山海經》（臺北：金楓出版社）

⑥ 樂園的觀念可見王孝廉（試論中國仙鄉傳說的一些問題），收於《神話與小說》，臺北：時報出版公司，民國八十年。而康韻梅（《山海經》崑崙樂園的長生意象及其原始象徵意義），收於《王叔岷先生八十壽論文集》亦有所論。

⑦ 楊儒賓：（道家的原始樂園思想），民國八十四年，中國神話與傳說學術研討會。

⑧ 張春興、楊國樞，《心理學》，臺北：三民書局，民七十七年，九版，頁一一三。

⑨ 恩斯特．卡西勒，《神話思維》，北京：中國社會出版社，一九九二年，頁二七。

⑩ 李維—史特勞斯，《野性的思維》，臺北：聯經出版公司，民國七十九年，頁二四。

⑪ 參見鄭志明，《中國社會的神話思維》，臺北：古風出版社，民國八十二年，頁五三。

⑫ 《空間的文化形式與社會理論讀本》（臺北：明文出版社，民國七十七年出版）提到「地點感」，以爲地方不只是一個客體，它是被每一個個體視爲一個意義意向或感覺價值的中心。見本書頁一一九—一二二。

雁奴故事的演變

顏瑞芳

一、前言

《梅澗詩話》記載：元裕之（好問）赴試并州，道逢捕雁者獲一雁，殺之矣，其脫網者悲不能去，竟自投於地而死。元氏乃買得二雁，葬於汾水上，累石爲誌，號曰雁丘，爲賦〈摸魚兒〉，詞首二句云：「問世間，情是何物？直號死生相許。」

《揚州府志》則記：有婁生者，以矰弋爲業，一日，捕得隻雁，閉之籠中，雌雁盤空鳴叫，聲甚淒厲，久之，乃自投而下，雄雁自籠中伸脰就之，交結而死。婁生乃瘞之叢薄間，破罝斷繳，終身不復羅捕。

《長治縣志》亦記：有振菴者，買得一雁，羽毛摧落而聲甚哀，憫而飼之。踰數日，羽毛漸復，忽雲中雁過，與此雁相應而鳴，聲漸急漸哀，知其雌雄也，縱之，二雁比翼和鳴，徘徊良久而後去。明年，二雁復來，環振菴舍飛鳴，若報主人之恩也。

類此貞烈故事，的確令人讀之動容。然雁之美德尚不僅此，李時珍謂雁有四德：「寒則自北而南，止於衡陽；熱則自南而北，歸於雁門，其信也。飛則有序，而前鳴後和，其禮也。失偶不再配，其節也。夜則群宿，而一奴巡警；晝則銜蘆以避繒繳，其智也。」信禮節智兼備，故明人唐順之〈雁訓〉一文中云其爲「羽蟲之最靈者」。

然而，雁雖有設奴巡警之智，卻因其爲佳餚珍饈，而逃不過食婪之輩的網羅。匹雁無罪，懷肉其罪，當禽類之靈遇到萬物之靈，雁奴註定要扮演一幕幕殺戮故事的悲劇角色。

二、《玉堂閒話》中的雁奴故事

據今文獻所及，雁奴故事最早見於王仁裕《玉堂閒話》。仁裕（八八〇—九五六）字德輦，天水人。少孤，不從師訓，唯以狗馬彈射爲樂，二十五歲始折節讀書，後以文辭著名。唐末爲秦州節度判官。入蜀爲中書舍人、翰林學士。後歷仕晉、漢、周，官終兵部尙書、太子少保。詩有《西江集》、文有《紫泥集》、《玉堂閒話》等，均已散佚。所記雁奴事，收於《古今圖書集成．禽蟲典》中：

> 雁宿於江湖沙渚中，動計百十，大者居中，令雁奴圍而警察。捕者俟陰暗無月時，藏燭器中；持棒者數人，屏氣潛行，將及，則略舉燭便藏之。雁奴警叫，大者亦警，頃之，復定；又復前舉燭，雁奴又警。如是者數四，大者怒啄雁奴，秉燭者徐徐逼之，更舉燭，則雁奴懼啄，不復動矣。乃高舉其燭，持棒者齊入群中亂擊之，所獲甚多。

此段記敘構成後代雁奴故事之原型：捕雁者藉舉燭藏燭的伎倆，離間雁群對雁奴的信任感，等到雁奴懼啄而不敢再示警時，便是捕者逞兇而雁群遭殃時。不過，作者於「閒話」中似乎沒有賦予這則故事明確而具體的寓意。

三、馮生〈雁奴說〉與宋祁〈雁奴後說〉

深化雁奴故事之義蘊者，首推隱民馮生，其〈雁奴說〉雖不傳，但從宋祁〈雁奴後說〉中可得其梗概。宋祁（九九八—一〇六一）字子京，雍邱（今河南省杞縣）人。天聖間與兄宋庠同舉進士，時人呼爲「二宋」。曾官翰林學士史館修撰，與歐陽修共修《新唐書》十餘年。卒謚景文，清人輯其文爲《宋景文集》。〈雁奴後說〉見於《宋景文集》卷四十八：

……大江之南，陽鳥攸居，餘苽秳稻，群翔輩唼者動數百千計。鄉人或夜經大澤，連巨繳而掩之，然常苦雁奴之覺也。

鄉人說曰：雁奴，雁之最小者，性尤機警。每群雁宿，雁奴獨不瞑，爲之伺察。或微聞人聲，必先號鳴，群雁則雜然相呼，引去。後鄉人蓋巧設詭計，以中雁奴之欲。于是，先視陂藪雁所常處者，陰布大網，多穿土穴于其傍。日未入，人各持束緼並匿穴中，須其夜艾，則燎火穴外。雁奴先警，因急滅其火，群雁驚視，無見，復就棲焉。如是三燎三滅，雁奴三叫，眾雁三驚，已而無所見，則眾雁謂奴之無驗也，互唼迭擊之，又就棲焉。少選，火復舉，雁奴畏眾擊，不敢鳴。鄉人聞其無聲，乃舉網張之，率十獲五，而僅有脫者。以是，江湖之民尤嗜雁，或賤售于人。

宋祁引用「鄉人說」，可見雁奴故事來自民間。與《玉堂閒話》相較，本文增加對「雁奴」之解說：雁奴爲雁之最小者，由於「性尤機警」，故群雁夜宿時擔任伺察。其次，《玉堂閒話》中云：「大者居中，令雁奴圍而警察」，此則云：「獨不瞑，爲之伺察」，前者表示雁奴守更是聽令於大雁，並非出於自願，且守更雁奴不只一隻；此文則似將雁奴的守更行爲轉化爲自我意願或自然習慣，且守更者「獨」不瞑，唯有孤單的隻雁，一方面在內涵上提高孤雁的情操，爲賦予寓意預作伏筆；另一方面，則提供何以「雁奴」會演變爲「孤雁」的線索。

至於捕雁過程，捕者與鄉人同是利用暗夜，以燭火忽燎忽滅來達到離間雁奴與雁群之目的，鬆弛雁群對危機的警覺，在雁奴畏懼被啄，雁群疲乏安睡之際採取行動。不過捕雁工具有別，前者持棒亂擊，後者舉網張羅。棒擊較爲血腥，但所得較爲有限；網羅則一舉成擒，難有逃脫者，因而鄉人自食有餘尚「或賤售於人」。

記錄鄉人所說之後，宋祁續言：

予聞其事，不甚諦。後有隱民馮生者與予善，他日問之而信。馮生工屬文，嘗爲〈雁奴說〉，嘆其以詐相籠，以禍相嫁也。其言曰：「奚獨雁哉？人固有之：李斯，秦之警也，趙高詐燎而胡亥擊之，國入于漢；陳蕃，漢之警也，曹節詐燎而孝靈擊之，家獲于魏。由是觀之，可不爲之大哀耶？」予嘗愛其文，今馮生遁老，訪其書不獲，姑掇其切著于篇，還以舊名題云。

這是將雁奴故事轉化爲寓言。而馮生〈雁奴說〉的寓意是「嘆其以詐相籠，以禍相嫁」，「其」指捕雁的鄉人，他們「巧設詭計」以中傷雁奴，籠捕雁群，眞是其心可誅。而馮生之「嘆」，當然不僅針對雁奴而發，乃是藉此喻彼，將動物事件與歷史人事綰合，借狡詐的鄉人來擬喻在朝廷中作威作福、指鹿爲馬，蒙蔽皇帝視聽的趙高、曹節之流。由於趙、曹的詐燎構誣，致李斯、陳蕃忠而見誅，像雁奴般蒙受不白之冤，而秦、漢的國祚也因此斷送，如同雁群付出生命做爲代價。不過，雁的禍害來自於強勢的人類，朝廷的禍害則起於蕭牆之內，相形之下，胡亥、孝靈之愚昧更甚於雁群，此馮生所以「大哀」也！

馮生〈雁奴說〉藉「奚獨雁哉？人固有之！」點題示意，怨嘆鄉人（趙高、曹節）之狡詐，哀雁群（胡亥、孝靈）之昏愚，憐雁奴（李斯、陳蕃）之蒙冤，警惕奸佞之禍，足以亡國滅家，充分體現寓言的諷諭精神。

四、宋濂《燕書》中的「具區白雁」

〈雁奴說〉與〈雁奴後說〉是先敘述故事再據事申說，宋濂《燕書》則將雁奴故事穿插於論辯之中。宋濂（一三一〇—一三八一）字景濂，號潛溪，浦江（今屬浙江）人，曾受業於吳萊、柳貫。元末隱居於小龍門山著書，成《龍門子凝道記》及《燕書》四十首，是傑出的寓言作家。朱元璋起兵，與劉基同被徵召，累官至翰林學士。《燕書》序云：「玄黃之間，事變無垠，辯士設喻，以風以陳，質往舊，開今新。」充分說明其寫作目的與特色，在於取法戰國辯士，設事託意，以諷時局、陳理道。「具區白雁」故事見於第三十九：

> 楚率師伐晉，晉人恐，嚴甲兵以待。楚入河陽，退師，未幾又入，如是者三。晉侯疑，朝群臣問焉。伯瑕對曰：「楚誘我也，宜急毆，弗毆，必深入，存亡不可期。」……問韓起，韓起大笑絕纓。晉侯變色曰：「大夫笑寡人乎？」起對曰：「老臣何敢笑君？實笑雁奴不知也。」晉侯曰：「何謂也？」曰：「具區之澤，白雁聚焉，夜必擇棲，恐人弋己也，設雁奴環巡之，人至則鳴。雁藉是以瞑。澤人熟其故，爇火照之，雁奴戛然鳴，澤人遽沉其火；群雁皆驚起，視之，無物也，如是者四三，群雁以奴紿己，共啄之。未幾，澤人執火前，雁奴不敢鳴，群雁方寐，一網無遺者。今楚師進退三，執火之謂也，君何不少察之乎？」晉侯曰：「拏人不當如是哉！」於是大嚴守備。楚子聞之曰：「勿謂晉無人。」不敢侵。

韓起將楚人比擬爲獵雁的澤人，將伯瑕等朝中大臣比擬爲不能洞察敵人動機，見火即驚惶鳴叫的雁奴，進而警示晉侯，莫學貪睡的雁群，而應以靜制動，採取必要之防備措施。由於韓起藉事辯說，鞭辟入裡；晉侯幡然醒悟，「大嚴守備」，因而楚子不敢入侵。

本文最大特色，在於顛覆雁奴故事中雁奴與雁群任由澤人（捕者、鄉人）擺佈的悲劇命運。聰明的朝臣（雁奴）、明智的國君（群雁）可以合力識破並化解敵人離間的詭計。人類的智慧畢竟超過雁，因此大有理由避免步上雁被「一網無遺」的後塵。其次，宋濂以「明初開國文臣之首」的手筆，將動物故事融入歷史寓言之中，使全篇成爲「同心圓式」的寓言，兩相激盪，而加強諷諭的說服力，形成寓言結構的另一種典型。

五、徐芳〈雁奴說〉

雁奴故事發展至徐芳〈雁奴說〉，情節更爲生動完整，而對「雁奴」之解說亦有別於宋祁〈雁奴後說〉。徐芳，明末清初文學家，字仲光，號拙菴，南城（今屬江西）人。崇禎十三年進士。南明時做過翰林院編修，後與友人鄧廷彬入山隱居。著有《懸榻編》、《諾皐廣志》。〈雁奴說〉云：

雁之性善睡，宿于野，恐人謀己，則使孤者司警。有所見，高鳴戛戛，若傳呼然。群雁輒隨之起，謂之雁奴。

有黠者貯火竹管中，潛行至近處，搖之，火星歘出爛然，旋韜而伏。雁見火至，謂有冠，矍然而叫，群雁鼓翅交應，久之，寂然無所睹，于是怪奴欺己，小啄之，復就宿。少頃，伏者再起，舉火搖動，奴又輒叫，群雁又輒應，已又寂然，則益怪，啄之加甚。如是數四火，即數四驚，又數四啄。奴見火之無害，而啄不勝苦也，意稍怏，不敢復警，群雁亦不復應。于是張網遍其宿處，譟而攻之，群雁夢中起，盡在網中，不可復脫。自後，捕雁者皆用其術。

愚山子曰：設警固將以防患也，今更以其警罪之，固不如無設矣，欲不罹，得乎？至駢頸就縶，而後嘆奴之忠而聽之不早也，則何及矣！吾非悲睡雁也，悲奴之屢啄而又以俱網也。

文分三段，首段釋名義，次段敘故事，末段說感慨。「使孤者司警」，《孟子・梁惠王下》謂：「少而無父曰孤」，則司警孤者指無父之小雁；引申義凡單獨皆曰孤，則「失偶不再配」之雄雌雁皆可稱孤者。故徐芳以「孤者」釋雁奴，反而使之產生歧義，不若〈雁奴後說〉「雁之最小者」清楚明確。司馬中原云：「雁是善良的鳥類，殺了一隻雁，必會使牠的伴侶成爲孤雁。……雁群不論棲息怎樣荒涼的地方，牠們都極爲警覺，入夜眠息時，遣有守望的哨雁，這些哨雁，多由孤雁擔任著。」舊版《國中國文》第一冊〈孤雁〉「題解」亦云：「記敘一隻失去配偶的孤雁替雁群守夜的故事。」可見後人多視孤雁爲雁之失偶者。

故事中稱捕雁者爲「黠者」，又言：「雁見火至，謂有『寇』」，都帶有批判意味，與前三篇稱「捕者」、「鄉人」、「澤人」有明顯差異。文末藉「愚山子曰」點明寓意，先以睡雁（群雁）設奴司警而罪其警，以致「駢頸就縶」後悔莫及做爲鋪墊，進而強調雁奴盡忠職守卻不被諒解，屢遭惡狠的啄擊而百口莫辯，終而同入網羅的可悲下場。徐芳身處明末人心危疑、國祚飄搖之際，清人（黠者）正企圖張八紘之網以羅致九州，而南明君臣卻勾心鬥角、相互猜忌，那麼，他以「孤者」「雁奴」來比喻飽受讒謗謠啄的「孤臣」，當不無可能，只是不知此雁究竟是作者自悲身世抑或別有所指。作者一方面嘲諷群雁的愚昧，另一方面則更同情雁奴「屢啄而又以俱網」的遭遇，將寓意的重心由捕雁者轉移到雁奴上面。

六、朱企霞〈孤雁〉

朱企霞〈孤雁〉改寫自流傳已久的雁奴故事，但它不僅是由文言改寫成白話而已，更融入現代寓言的技法，使故事情節更爲生動，更能吸引兒童及青少年。與前述四篇雁奴故事相較，〈孤雁〉的場景描寫、擬人手法、角色對話等方面都是前者未有的。

「沙洲上，蘆叢中，寒星點點的夜裡，雁兒一對對交著頸子睡了」。「寒星照在蘆葦上微微發光，猶如沾著了眼淚，風吹來，便眞的窸窣地啜泣了。」藉著沙洲、蘆叢、寒星、冷風等物象，及眼淚、啜泣等擬人筆法，烘托出一片天寒地凍的悲涼場景，也營造出一種大難即將降臨前的寧靜氣氛。故事的開頭頗能引人入勝。因而接著「忽然間，看見蘆葦後火光一閃，一會兒，又一閃。孤雁一緊張，便立刻引吭呼叫起來。」一閃一閃的火光劃破黑暗而寂靜的夜，具有石破天驚的效果。

故事中對話的運用也相當靈活，如：「『孤雁，好好地守更吧！有惡人來了，要叫醒我們大家啊！』『好吧！』孤雁回答著，心裡卻覺得悲涼。」這是雁群和孤雁的對話；「忽然間，孤雁又看見一閃火光。牠警告自己：『別再無端打擾人家！』」這是孤雁上過一次當後的內心獨白。而寓言故事中動物角色的對話也是擬人技法的表現。

〈孤雁〉中稱捕雁者爲「惡人」、「狡獪的獵人」，這是從雁帶有防衛、敵視的角度出發的，近似於徐芳〈雁奴說〉所稱的「黠者」、「寇」。

〈孤雁〉與前述四篇雁奴故事，情節上最大的不同在於雁群被捕前危急時刻，孤雁（雁奴）的心理狀態與處置方法。《玉堂閒話》言：「雁奴懼啄，不復動矣。」〈雁奴後說〉云：「雁奴畏衆擊，不敢鳴。」《燕書》言：「雁奴不敢鳴」，〈雁奴說〉云：「奴見火之無害，而啄不勝苦也，意稍快，不敢復警。」同樣寫孤雁畏懼啄擊而不敢鳴叫示警，導致雁群睡夢中被捕。〈孤雁〉則言：

獵人拿著香炬在空中閃著，一次又一次。巨大的人影，也矗立在眼前了。孤雁於是急急地鼓著翅膀，破著喉嚨，只是叫喚。然而一對對交著頸子酣睡的雁兒，卻懶得來理會牠。

……

狡獪的獵人伸出殘酷的手，將一隻隻熟睡的雁兒放進了網羅。孤雁於是在空中瘋了似地迴繞著，嘎嘎地慘哭起來了。……

強調孤雁雖然在前幾次的呼叫後被啄得一次比一次厲害，「著實覺得委屈」，卻沒有因此而懼啄不敢鳴，仍「急急地在拚命叫喚著」，終而「嘎嘎地慘哭起來」；雁群則只顧交頸酣睡，懶得再理會孤雁，最後，一隻隻被「放」進了網羅。透過孤雁的盡責來凸顯雁群的麻木。故事結尾：

等到牠（孤雁）滴下了沈重的眼淚，才將這幸福群中的一兩隻打醒。雖說是逃脫了性命，然而，卻已多半成爲「孤雁」；「孤雁」從此也就多起來了。

可見作者是藉雁群沉酣睡鄉而遭網羅的下場，來警諭沉迷於安樂鄉的人們，要能居安思危，互助互信。否則，今天是一對對交頸的雁兒，有天可能成爲一隻隻悲鳴的孤雁。

七、結語

雁奴故事經過一千年的流傳，在《玉堂閒話》中奠定故事原型，在馮生〈雁奴說〉與宋祁〈雁奴後說〉中賦予寓意，在宋濂《燕書》中被用於設喻託諷，至徐芳〈雁奴說〉敘故事、抒寓意，成為典型的說體寓言。其間雖角色與諷諭對象略有不同，而故事情節與寫作方式並無太大改變。明末，西方寓言隨著西學傳入中國，清末民初以來，兒童教育與寓言文學漸受重視，寓言創作風氣隨之興起，朱企霞的〈孤雁〉便是以傳統雁奴故事為基礎，融合西方寓言擬人手法與豐富想像的作品，這也為取材舊故事，另作新寓言提供良好的示範。

雁奴故事中的主要角色包括捕雁者、雁奴、雁群，針對不同的角色，可以生發不同的寓意，如馮生〈雁奴說〉重在諷捕雁者（鄉人）藉「詐燎」來達成「以詐相籠，以利相嫁」的陰謀；徐芳〈雁奴說〉重在「悲雁奴之屢啄而又以俱網」；朱企霞〈孤雁〉則重在諷群雁貪圖酣睡，不理會警告而被擒。捕雁者是狡獪權臣或敵寇的化身，雁奴象徵盡忠職守的孤臣孽子，而雁群則代表安於逸樂的平民大眾。不同的作者，基於不同的時代背景及身世受感，賦予不同的寓意，也豐富了雁奴故事的生命。

從方言漢字的使用論漢字的適應性

姚榮松

壹、從廣義的漢字系文字看漢字的超語言性質

漢字顧名思義是指記錄漢語的文字，所以在討論有關漢字評價的問題時，自然離不開語言。從比較文字學的角度來看，漢字跟埃及的聖書文字和古代兩河流域（即蘇美爾人使用）的楔形文字是同類型的。①不管把漢語所使用字的漢字（即狹義的漢字）定名爲表意文字、意音文字或語素音節文字，多半是站在漢字與漢語的關係立論，很少從宏觀的視野去注意漢字的跨語言使用，及其所發展成的漢字系文字（即廣義的漢字），它的屬性和功能。

陳其光（1993：26）指出，當漢字已成爲完整的書寫體系時，中國的許多少數民族和一些鄰國還沒有文字，雖然他們說的是「非漢語」，他們首先借用漢語書面語，然後借用漢字書寫自己的語言。在借用一段時間之後，爲彌補借用漢字的不足，在漢字的影響下創造了書寫母語的本族文字，就產生了許多漢字支系，形成廣義的漢字文化圈②。根據陳（1993）的分析，這些非漢語的漢字派生字，可以分成兩大類：

一、從漢字派生的表意字，包括1.仿漢字：如越南的字喃、老壯文和老白文等。以形聲字居多。2.變漢字：如契丹大字、女眞大字等。是改造原有漢字成新字。3.似漢字：僅西夏文一種，用漢字筆畫先組成表意的偏旁元件，再按漢字的造字法造新字。

二、從漢字派生的表音字，包括1.音節文字，如：日文假名和女書（通行於湖南江永縣和道縣）。2.拼音文字：包括契丹小字、女眞小字、諺文和注音字母文字。

周有光（1997：97）更指出：漢字向少數民族和外國傳播，第一步演變成爲各種「漢字式詞符文字」，第二步演變成爲各種「漢字式字母文字」，這都是廣義的漢字。這兩步的演變正好和上列兩大類漢字的派生字若合符節。因此，若說廣義的漢字演變，已和世界文字的主流「拼音文字」發展若合符節，也不爲過；不過漢字式的字母文字並未在漢語的本土取得「革命成功」的果實，所以廣義的漢字文化圈，目前仍是兩棲使用，在漢語通行地區，典型的詞符文字方塊字仍是漢字的主流，在域外的韓、日兩國，雖然使用拼音文字，但並未完全廢除夾用「當用漢字」，換言之，漢字仍是該語言的文字符號的一部分。陳其光（1993：203-204）則說：「表意字受漢字的影響較深，是漢字的近親；表音字受漢字的影響較淺，是漢字的遠親。」以下我們專就屬於漢字近親的漢字系文字同「漢語漢字」（狹義漢字）的共通性，來看漢字的跨語言運用。

應該指出主體漢字（即今日海峽兩岸所使用的漢字庫）和漢字派生的「詞符文字」（即仍爲中國西南少數民族如壯族、苗、瑤、布依、侗、白、哈尼、水、傈僳所使用的仿漢字）它們是相互依存的，在漢語通行地區，漢字儘管自足，但在任何雙語地區，或「仿漢字」盛行的區域，兩類漢字是混合使用，成爲「雙書面語制」。這些派生的表意字之所以沒有改成表音字，是因爲這些仿漢字和漢字相容性強，可以搭配使用。

爲了說明漢字在其他語言中的使用，姑以使用人口最多的壯字爲例，採自周有光（1997）③。

㈠借用漢字

1.借義又借音：文（文vwnz），南（南namz），玉（玉nyaw），才（才caiz），史（史sij），形（形hingz）。

2.借義不借音：屋（ranz）、你（mwng）、蛋（gyaeg）、哭（daej）。

3.借音不借義：眉（有，miz），斗（來daeuj），丕（去bae），迪（是dwg）。

㈡自造新字

1.自造會意字。

歪（上面gwnz）、夻（下面laj）、昋（白天ngoenz）、粓（早飯ngaiz）。

2.自造形聲字

朊（富foug）缽（病bingh）…………左形右聲。

鴄（鴨bit）炑（水牛vaiz）…………左聲右形。

痐（痛in）閹（閹iem）……………………外形內聲。

岜（山bya）……………………………………上形下聲。

⿱那田（田naz）………………………………………下形上聲。

3.自造簡化字

冇（不mbou,「有」的簡化，粵語簡化字相同。）

𠁣（半邊mbiengi,「門」的一半）

借用漢字和自造新字，構成「老壯文」的漢字系統，尤其那些按照會意和形聲所造的方塊字，形體與漢字無別，只是音義都根據壯語，陳其光稱之爲「類漢字」，從漢語內部也存在的方言造字來看，「類漢字」相當於漢語的「方言特別字」，其形音義都沒有通行全國，它們也和其他通用漢字共同承擔記錄所有漢語的任務。從漢字文化圈來看，老壯文的漢字體現了漢字的超語言性質，借用漢字的三類分別是借詞、訓讀字、借音字。而漢語各方言所表現的漢字系統，則進一步體現了漢字的超方言性質，因爲儘管在對應方言口語時會出現較多方言漢字色彩，但它仍須配合主體漢字庫來使用，才能完整記錄漢語，至於方言字的類型，也不能自外於漢字的各種構成規律，所以基本上它是主體漢字的一種變體而已。這種文字變體，從使用的條件上，又受到方言文字化的制約。

貳、漢字的超時空性質──語素音節文字的特徵

漢字和古蘇美爾人的楔形文字、古埃及聖書文字第三種古代文字，同樣被視爲「語詞・音節文字」（

logosyllabary），簡稱「詞符文字」（logogram），它們的符號表示語詞和音節，即表意兼表音，也稱爲「意音文字」。不過更精確的說法叫「語素—音節文字」，裘錫圭（1985）指出：

如果從字符所能表示的語言結構的層次來看，漢字是一種語素——音節文字，即有些字符只跟語素這個層次有聯繫，有些字符則起音節符號的作用。

這種說法異於過去學者有單純把漢字視爲表意文字系統（ideographisme）或者稱爲詞素（語素）文字。法國學者汪德邁（León Vandermeersch）教授在所著《新漢文化圈》一書中根據馬爾蒂內（martinet）所談的語節（articulation）概念，認爲語言的特徵表現爲它的雙重語節。即任何語言都在兩個不同層面上分節（articuler）：語義層面——即在語義單位上分節，馬爾蒂內稱爲意素（moneimes）；語音層面——即在音素單位上分節，馬爾蒂內稱之爲音位（phoneimes）。④

他指出：「雙重語節使得有兩種攝取元素來表達話語的方式：一是在第一層面即語義單位上攝取元素，一是在第二層面即音素單位上攝取元素。表意文字可以被定義爲按照第一種方式組成的文字，拼音文字則是按照第二種方式組成的。」漢字也被簡單地歸爲第一種的「表意文字」，這是沒有認識到漢字是兩種攝取元素方式的混合，在第一層面上，漢字字形和偏旁的表意性是攝取了「意素」；絕大多數形聲字的聲符則攝取了第二層的「音位」。不但如此，聲符有時還起一種區別詞義的功能。這使得漢字「詞符」的數目儘管不斷增加，卻避免了表意文字由於必須掌握大量不同書寫單位的負擔。汪德邁先生（1993：91）則歸功於漢語特有的書寫語言「文言文」。他說：

漢字系統與蘇美爾和埃及文字的重大區別是，蘇、埃文字僅僅是一種書寫系統，而漢字則兼有書寫系統和眞正的獨立的語言系統雙重功能。在中國文字那裡，我們看到的不僅僅是一種簡單的口語記錄體系，而且是不同於口語的另外一種語言。在這裡口語不僅僅被記載下來，而且被重新組合過了。這一特點可一直上溯至漢字的起源。公元前一五〇〇年左右，漢字系統使作爲一種獨立的語言而非當時口語的記錄系統而形成了。……這一特殊語言，中文稱之爲「文言」，法譯爲Langue écrite。

汪先生認爲這種文言的漢字系統正像歐洲拉丁語一樣作爲一種書寫語言流傳至今。「在中國文言中，文字與注音的關係與其他表意文字正好相反，文字符號在此並不代表口語的對應詞。在其他表意文字裡，詞語是獨立的，文字僅僅是詞語的記錄；在中國文言中，文字即是詞語，讀音僅僅是文字的注音符號，最後回到文字。」⑤應該指出這種文言文自漢代以後傳入越南、朝鮮、日本，漢字發音隨其本國語言的發音體系而調整，正反映了它的超語言使用，正如同漢語不同方言區的人們，也採用各自的方言音讀來傳誦文言，這種異音共形的現象，無異說明漢字的多源體系，更由於字形表意的一致性，無形中降低音讀分歧的不便，單憑目治的文字系統當然是超方言的。

漢字具有一定的超時空性，一向被認爲是重要的特點，朱德熙（1983）指出：

漢字最大的長處就是能夠超越空間和時間的限制，古今漢語字音的差別很大，但由於字義的變化比較小，而且兩千年來字形相當穩定，沒有太大的變化，所以先秦兩漢的古書，今天一般人還能部分看懂。如果古書是用拼音文字寫的，現代人就根本無法理解了。有些方言語音差別也很大，彼此不能交談，可是寫成漢字，就能互相了解，道理也是一樣。⑥

漢字超越時間的說法可以和上述的「文言文的卓越性」相印證。不過也不是無條件的成立，今天一般人能部分看懂古書，一半要歸功於文言文教學，一半才是漢字形、義的穩定性。至於利用筆談來超越方言語言的隔閡，其實，倚賴的仍是共同的書面語（即今日的白話文），而非文言文本身，更重要的是掌握足夠的漢字庫，這個漢字系統從來沒有因爲方言差異而分成不同的兩套、三套子系統，否則跨方言變成不可能。誠如張志公說的：

漢字從秦始皇「書同文」起一直是統一的。漢字使我們有可能形成一種共同的書面語言，超方言的書面語言。⑦

這種共同的書面語，應該就是現代漢語以北京音系爲基礎的共同語，以文學爲基礎的典範白話文，它已取代二千年來居主流地位的文言文。白話文之所以作爲超方言的書面語言，正是因爲它使用的全部漢字在各方言中皆有對應的讀音，人們只要用本方言的讀音就可以把書報上的文字傳達給不諳普通話或國語的方言居民。

在白話文裡，一般人只要認識最常用的四千字左右基本漢字的形義，就可以進行超方言的閱讀。字音則是通過方言口語詞的對應就可以掌握。爲了說明漢字的「語素—音節」的二惟屬性，我們不妨根據張瑄編撰的《中文常用三千字形義釋》收字爲範圍，取一些對稱的部首來觀察其形音義的差異，及其與「字符」（即部件）的關係。

第一組：人～刀→同字符（凡會意字下加一）

人：伐　伴　依　倍　俏　倚（傖）傳　儉（儕）僻

刀：划　判　初　剖　削（剞）創（剸）劍　劑　劈

第二組：人～口→同字符

人：伏　份　何　伸　供　倡　俏　偎　俾　債

口：吠　吩　呵　呻　哄　唱　哨　喂　啤（嘖）

第三組：人～土→同字符

人：他　仿　位　伸（俟）倍　傴　僻

土：地　坊　垃　坤　埃　培　壘　壁

第四組：人～女→同字符

人：仍　仔　他　仿　估　倡（侄）

女：奶　好　她　妨　姑　娼　姪

少數加（　）的並非常用字，不在張氏收字範圍，這四組字中僅八個會意字，其餘皆形聲字。其中「划」字見《廣韻》：撥進船也，形構不明，姑以爲會意。按說文省聲之理，也可假設爲「伐省聲」。佔大多數的形聲字，憑現代漢字音讀即可判斷出來，單個字不敢斷定，兩個共符異部字，如果仍有疊韻關係，八成是形聲，如伴：判，倍：剖，俏：削，倚：剞，儉：劍，供：哄，俾：啤都是其例，當然有些同聲符字組今讀同音，如僻劈、伸呻，倡唱，估姑等。少數則並不疊韻，如儕：劑，他：地，仍；奶，其中有語音變化問題，如「他」本與「它」同字，他爲後起俗字。以上這些原則使後人大抵可推知後起字是否爲形聲？如《中文常用三千字形義釋》⑦就做了以下的推測：

啡，見玉篇、集韻、廣韻，說文無此字，蓋從口非聲。

啊，字見集韻、正字通，蓋從口阿聲。

啤，古無此字，今以爲酒名。蓋從口卑聲。

啦，古無此字，今以狀聲，蓋从口拉聲。

喂，字見玉篇、正字通，蓋从口畏聲。

由此可見，這些相同聲符的字組，聲符主要起標音的作用，部首偏旁才是主要的辨義要素，其作用仍然是將一組音同音近字，歸之某事類，令人從語彙的音義聯繫中，去挑出所要的音義結合體——詞或詞素。如「音如半」而適用人群關係者爲「伴」，「音如半」而適用於刀之關係者爲「判」，這大概就是早期形聲字聲符所擔負的「因聲求義」功能，其後孳乳之道行，則凡同聲之字皆可相互假借，因而注形以分其殊義如「倍—培—陪」，皆緣累增，義在聲中。「偶—寓—遇」皆有二造，或相寄託。這是詞源學家進一步的推理，雖然在文字學上形成右文說，以爲形聲字聲符亦能表義，在整體形聲的適用上大多齟齬難通，不可輕信，應該視爲文字發展史上的古代同源字的殘留，而非通例。

叁、漢字如何記錄方言——以閩南語為例

漢字在記錄漢語時，所表現出來的高度適應性，還表現在用同一套文字記錄方言。早在紀元之初，楊雄就能針對豐富的漢語方言詞彙多元的複雜現象進行描述，他區分出通語、方言、古語等，並注出通行之地域，例如《方言》：

> 膠、譎、詐也。涼州西南之間曰膠，自關而東或曰譎、或曰膠。詐，通語也。（卷三）
>
> 嫁、逝、徂、適，往也。自家而出謂之嫁。……逝，秦晉語也。徂，齊語也。適，宋魯語也。往，凡語也。（卷一）

楊雄在記錄方言時，已經注意到以口頭語言作爲調查對象，因此，除了凡、通語可以找到漢字外，有些方言詞便只能記音，楊雄的確把漢字當作標音來用。例如：卷一：「黨、曉、哲、知也，楚謂之黨，或曰曉。齊宋之間謂之哲。」「黨」大約就是現在的「懂」。又如「寇、劍、弩、大也。」這三個字都沒有大義，只是用它的音，實際是當作標音符號來用。可惜當時所據方音已不可深考，有些方言詞所代表的本字，並不容易求得眞象。不過我們仍可以通過現代方言如何用漢字表達口語的記錄，了解漢字在跨方言的運用上的適應能力。舉閩南語傳統唸謠《陳三五娘》⑧爲例：

> 即年1美貌兮2查某3，袂須4昭君兮面膜，
> 想著腳浮袂5行路，潮州所在恰6青蘇7。

行甲8只久9即到10位，看著嫂嫂未安睡，

這事不敢講出嘴，就將門籬緊軒11開，

陳三拜見因12嫂嫂，潮州實在好迌迌

柳氏做人是眞好，知因小叔愛風梭14

將以上十四個加標的字、詞做一解釋：

1.即年：這麼，音〔tsia 5 ni^{0}〕或作「者呢」，「這呢」。「即年」完全記音字。

2.兮：的，閩南語音〔e^{5}〕。虛詞，或由「個」字弱化。

3.查某〔tsa^{1} bɔ^{2}〕：女人。（與「查埔」男人同爲記音字）本字或爲「諸母」。

4.袂須〔bue7 su^{1}：不輸於。袂或作「獪」，是「無會」的合音，意即不會。「須」是「輸」之借音字。

5.袂〔bue 7〕：「獪」的借音字。

6.恰〔k'a?4〕：「較」的借音字。

7.青蘇〔ts'e^{1} so1〕即「生疏」的借音字。

8.甲〔ka?4〕：動詞後綴，猶「得」。

9.只久〔tsia^{2} ku2〕：這麼久。

10.到位〔kau2 ui7〕：到達目的地。「到」字爲訓讀字，本字當作「佫、迨」等。

11. 軒〔hian¹〕：「掀」的假借字。即掀開。

12. 因〔in¹〕：第三人稱代名詞所有格，俗作「亻因」。即他的。

13. 𨑨迌〔tit² t o⁵〕：玩耍。閩方言字。

14. 風梭〔hɔŋ¹ so¹〕：風騷，即附庸風雅；風流。

整段歌詞可以迻譯如下：

這麼貌美的女子，勝過王昭君的容顏，
想到她不禁腳步輕浮，不肯向前。潮州地方人生地不熟，
走了恁久才到達，看到嫂嫂尚未就寢，
此事不敢聲張，就將門簾趕緊掀開，
陳三拜見了他的嫂嫂，說起潮州是遊玩的好地方，
嫂嫂柳氏爲人又好，也深知他小叔愛風流成性。

任何只會使用現代漢語的中外人士，恐怕無從理解這段閩南語的歌辭，除非看過以上的注釋。儘管這段歌辭所用的漢字大部分都認得，僅「袂」（同襪）字較罕用。爲什麼整段話變得如此生澀，大概只有三個不須做注的句子能理解，「陳三拜見因嫂嫂」一句則用了一個標音字「因」，可能把它誤解爲「因嫂嫂的引介而得拜見某人。」由此，我們得到兩個簡單的結論：

㈠現代漢字用來記錄方言的口語，基本上是做爲記音符號來使用，不熟悉方言的漢字音讀，根本

不能讀出該方言，也無從理解方言的漢字記錄。漢字可以誇方言使用，卻必須具備運用方言的能力，才能讀通方言口語的漢字音記錄。

㈡用漢字記錄方言口語時，漢字往往成爲表音符號，部分語調雖與通語共用，只要句中有一個方言借音字，對於不諳本方言的人，整句便晦澀難知。

從這兩個理由顯示，漢字做爲方言之間的溝通工具，只能體現在以現代漢語的共同語（北京話）爲書面語的方音對譯上，任何方言特有詞語介入，都將使交流中斷。

方言書面語之所以難懂，主要有兩方面，第一是許多字向來不曾寫定，單有口音，沒有文字。第二是懂的人太少。這是胡適先生在一九二六年爲吳方言文學的第一部傑作《海上花列傳》作序⑨時的話。第一層是方言文字化的課題，臺灣有許多方言文學創作者正在進行實驗，第二層是方言文學的定位問題，是作爲方言區的小衆傳播，抑或夾在國語文學中成爲雙語材料。以目前方言書面語的地位來看，這兩個問題都沒有成熟，也說明「漢字具有超方言性」無法通過方言書面語的檢驗。以下節錄胡適所引《海上花列傳》第二十三回衛霞仙對姚奶奶說的一段話爲例：

耐個家主公末，該應到耐府浪去尋啘。耐啥辰光交代撥倪，故歇到該搭來尋耐家主公？倪堂子裡倒勿曾到府浪來請客人，耐到先到倪堂子裡來尋耐家主公，阿要笑話！倪開仔堂子作生意，走得進來，總是客人，阿管俚是啥人個家主公！

再對照作家張愛玲的譯文⑩：

你的丈夫嘸，應該到你府上去找嘸。你什麼時候交給我們，這時候到此地來找你丈夫？我們堂子裡倒沒到你府上來請客人，你倒先到我們堂裡來找你丈夫，可不是笑話！我開了堂子作生意，走了進來總是客人，可管他是誰的丈夫！

對照之下，我們先找到吳語的代名詞：耐即你，倪即我們，俚即他，啥人即誰。以下是實詞：主公＝丈夫；府浪＝府上；辰光＝時候，撥＝給。掌握了這幾個關鍵詞，這段話並不難懂，可見如果有一個「方言特有詞和普通話對譯表」，（通常最常用的詞只有一兩百個）。人們就可以初步進行跨方言的閱讀，剩下的便只是一些虛詞和特殊句型。換言之，一旦沒有這些學習的條件，漢字的「超方言性」，便無從在單語的經驗中體現。

肆、方言特別詞的漢字類型學

我們上文已經討論漢字對方言的適應性，一方面表現在方言字音的對應關係，語音無論如何演變，文字總是保持相對穩定。另一方面，方言口語的書面化，總是儘可能向共通語（普通話）靠攏，而不必「我手寫我口」，否則每個方言就有兩套書面語，一套相當於文言文，另一套是完全的口語文——近乎標音文字，借音字特別多。從語言和文字的相互依存關係來說，我們發現任何方言的書面語，都面臨如何建立自己的漢字體系，這個體系是自足的。它必須完全辨別該語言中所有詞素，而且在本方言的運用中，產生自己的寫詞法、造字法、構形法及相應的正字法。換言之，現代標準漢語的字庫不足以照顧方言的漢字體系，必須爲方言特別詞建立漢字的類型學。拙作（一九九五）曾經根據臺灣閩南語書面語漢字建立兩大類八個小類：

- ㈠漢語字源字
  - 1.本字
  - 2.準本字
  - 3.同源字
- ㈡閩南語本土字
  - (A)標義字
    - 4.訓讀字
    - 5.新表意字
  - (B)標音字
    - 6.新形聲字
    - 7.借閩音字
    - 8.借國音字

（5.新表意字、6.新形聲字：新造或借形字；7.借閩音字、8.借國音字：純借音字）

漢字字源源遠流長，考求本字可以減少本土字的氾濫。準本字是不完全合乎演變規律的次級品、同源字則放寬條件，求其近似值。因爲是字源學，故講求精確度。這八小類其實可合併成四個基本類型：

本字	訓讀	借音	新造或借形
如：天烏……天黑		遮（這兒）	勢（能幹）……形聲
花芳……花香		遐（那兒）	怣（引導）……會意
鉸刀……剪刀			
	我……阮（我們）		
	你……恁（你們）		
	他……因（他們）……個（他）		
	要……卜（要）……𢛳（要）		
	勅桃……𨑨迌（遊玩）		
	不會……𣍐		
掠狂……抓狂			

把這個類型表和第一節有關「壯字」的情形相比，說明了閩南語書面語的漢字類型，和壯語的類型基本上沒有太大差異，可能「借義又借音」的外來詞，在閩語中比較少。過去臺灣在日本統治下，遺留一些外來詞，如玄關、漫畫、看板、便當、風呂等詞在老一輩的臺灣人口中仍用日語發音，但年輕一代已經不用了。只有「壽司」一詞還有人叫Susi。至於「借義不借音」即是這裡的「訓讀」，我們把北京話和臺灣閩南話視爲二種語言，今天臺灣的閩南語電視節目的字幕或卡拉ＯＫ上閩南語歌詞，有

大量的「國語」訓讀字，這是因為「國語」在臺灣居強勢語言的地位。影響所及，有些閩南語詞，被改用國語的音讀來擬字，例如：

本字	閩南音	臺灣國語	音變
「家」婆	ke1 po5	雞婆（tɕi^{1} p'o^{5}	家雞閩南話同音
柳橙	liu^{2} tiŋ5	柳丁	橙→丁是「陽平→陰平」
（菝仔）	pat4 a2	芭樂	本名番石榴，第二音節連音（liason）為la. 按：「菝仔」為閩南語舊譯音
天婦羅（日）	t'ian5 pu^{1} lah^{0}	甜不辣	諧音字
伓知影	m7 tsai^{1} iã^{2}	莫宰羊	諧音字

這些都反映了強勢的國語，通過自己的音讀來吸收方言和外來語，其中的音變也帶有俗詞源的色彩，然而也說明漢字有其強韌的適應性。

訓讀、借音和新造是漢語方言特有詞在文字化過程中向本字疏離的三個方向，有些本字比較罕用，因此容易用訓讀字來替代，有些找不到本字，最方便的也是訓讀字，不過，若要發展具有口語特色的方言文學，訓讀字顯然不足取，於是大量向借音或新造字發展，形成許多「本土字」，本地知名的鄉土文學作家楊青矗曾經花了數年工夫編出《國台雙語辭典》，由於不滿意或找不到適當的台語漢字，自己創造了一百五十二個台語漢字，拙作（一九九五B）曾經做了個案分析，發現其造字的方法主要是形聲兼會意，似乎受了傳統字源學家「聲義同源」說的影響，但也反映了一個母語作家如何對待漢字和自己的語言。

伍、結　論

本文從廣義的漢字系文字看漢字文化圈的許多非漢語族群如何利用漢字適應其語言，進一步觀察漢字作爲「語素——音節文字」的特徵，確實具有超時空的特質。再以閩南語和吳語的書面語爲例，說明漢字超方言的特性有一定的條件和局限，最後從方言特別詞的漢字類型及台灣國語與方言的互動，做了簡要觀察，說明漢字在當前漢語的生態下，在方言與共同語之間仍起著一種橋樑的作用。

【附註】

① 裘錫圭，〈漢字的性質〉，《中國語文》，一九八五年第一期，頁三五。

② 陳其光，〈漢字系文字〉，《文字比較研究散論》，一九九三年，頁二六—三八。

③ 周有光（一九九七）《世界文字史》，上海教育出版社，頁一〇一—一〇三。

④ 《新漢文化圈》汪德邁著（一九八六），陳彥譯（一九九三），頁八八，江西人民出版社。

⑤《新漢文化圈》，汪德邁著，陳彥譯，頁九五。

⑥朱德熙〈漢語〉，見所著《語法叢稿》，頁二六。

⑦張志公（一九九一）〈漢字的特點、使用現狀及前景〉，《語文建設》，總三三期。

⑧見《中文常用三千字形義釋》，頁一五八。

⑨竹林書局發行，民國七十五年三月，第六版。臺灣新竹。

⑩〈海上花列傳序〉，《胡適文存》，第三集卷六，（臺北：遠東圖書公司）

⑪張愛玲註譯《海上花》（韓子雲著），頁二三二，（皇冠雜誌社，民七十四年一月）

徵引書目

王鳳陽（一九八九）《漢字學》，吉林文史出版社。

朱德熙（一九八九）《語法叢稿》，上海教育出版社。

周有光（一九九七）《世界文字發展史》，上海教育出版社。

周長楫（一九九三）《廈門方言詞典》，江蘇教育出版社。

（法）汪德邁著、陳彥譯（一九九三）《新漢文化圈》，江西人民出版社。

洪玉成（一九九〇）〈漢字和漢語〉，《漢字文化》總第七期，北京。

胡　適（一九六〇）《胡適文存》第三集，遠東圖書公司。
姚榮松（一九九五A）〈閩南語書面語使用漢字的類型分析——兼論漢語方言文字學〉，《第一屆臺灣本土文化學術研討會論文集》，臺灣師大文學院，人文教育中心。
姚榮松（一九九五B）〈臺語造字的一個個案分析——以楊直矗「國臺雙語詞典」爲例〉，《第二屆臺灣語言國際研討會論文集》（會前），頁二四三—二六八，臺大語言所主辦，一九九五年六月。
姚榮松（一九九六）〈從方言字的系統比較看漢字的多源體系〉，《第七屆中國文字學全國學術研討會論文集》，東吳大學中文系所，臺北。
張　瑄（一九七五）《中文常用三千字形義釋》，成偉出版社，臺北。
袁曉園（一九八七）編《文字與文化叢書㈡》，光明日報出版社，北京。
袁曉園（一九九一）《漢字漢語學術研討會論文集》（上）（下）吉林教育出版社。
張愛玲譯注（一九八五）《海上花》，皇冠雜誌社，臺北。
許壽椿編（一九九三）《文字比較研究散論——電腦時代的新觀察》，中央民族學院出版社，北京。
陳其光（一九九三）〈漢字系文字〉收在許壽椿（一九九三），頁二六—三八。
陳其光（一九九三）〈論漢字的超語言使用〉，同前書，頁一九八—二一一。
張志公（一九九一）〈漢字的特點、使用現況及前景〉，《語文建設》總三三期。

解志維（一九九三）〈漢字的「超方言性」及其條件和局限性〉，收在許壽椿（一九九三），頁二二四—二三二。

裘錫圭（一九八五）〈漢字的性質〉，《中國語文》一九八五：一，北京。

蘇培成（一九九四）《現代漢字學綱要》，北京大學出版社。

蘇新春（一九九四）《漢字語言功能論》，江西教育出版社。

蘇新春（一九九四）《漢字文化引論》，廣西教育出版社。

劉君惠等（一九九二）《楊雄方言研究》，巴蜀出版社，成都。

錢　繹（一九八三）《方言箋疏》，上海古籍出版社。

羅杰瑞著、張惠英譯（一九九五）《漢語概說》，語文出版社，北京。

John Defrancis（1984）The Chinese Language: Fact and Fantasy, University of Hawaii Press, Honolulu.

Joël Bellassen（1989）Methode d'Initiation a la langue a l'Ecriture chinoises（Tome 1）La Compagnie, Paris.

後記：本文初稿曾在一九九八年二月七日巴黎舉行的「法國第二屆國際漢語教學學術研討會」上宣讀，並獲得教育部出席國際會議的補助，特此誌謝。

說　元

季旭昇

民國六十二年，我在師大國文系三年級，劉師正浩教授我們《左傳》，當時同學們對老師的學問風采都非常崇拜，從課堂上我們得到的也很多。一轉眼二十五年過去了，劉師正浩七十華誕也翩然而至，不禁令人回想起當年老師的教誨。因此試撰小文一篇，以表達對老師的感謝。劉老師的文字學是傳自高鴻縉老師，高老師的大作——《中國字例》是聞名中外的文字學著作，我個人從中學到很多。本文的觀點，很重要的一部分即是來自《中國字例》，謹以此表示對恩師的壽誕祝賀之忱。

六書，自《周禮》到今天，經過兩千餘年的討論，學者的看法仍然有很多不同的意見。這些歧見，除了來自理論架構的不同、釋字的差異之外，有很大的一部分是學者站在不同的立足點各說各話所造成的。如果回歸到原點，這些歧見的不同其實沒有那麼大。造成這些歧見的立足點之一就是歷史。文字在歷史的長河中有著相當多的演變，這些演變往往影響到文字的六書分類。因此，談論文字如果不注意文字的歷史演變，不同的學者說的其實是不同時期的字形，他們的六書分類當然也就不會一樣了。以下，我們要以「元」字做一個說明。

「元」字在商代銅器中「[illegible]」（兀作父戊卣）①，象人側立而特誇大頭部。因爲圓筆頭形不好寫，所以甲骨文線條化作「[illegible]」（《合》6）②，又省作「[illegible]」（《乙》5290）。古文字一長畫之上往往會加繁，多加一橫畫，因此又作「[illegible]」（《前》3.22.6），《說文》小篆作「[illegible]」。有關它的形義及六書，歷代說法相當分歧，茲擇其要列之如下：

《說文・一部》

元：始也，从一兀聲。

戴侗《六書故》：

元：首也。从儿、从二。儿、古文人；二、古文上。

段玉裁《說文解字注》：

徐氏鍇云：「不當有聲字。」以髡从兀聲，軏从元聲例之，徐說非。古音兀、元相爲平入也。

孫詒讓《古籀餘論・卷三頁三・陳昉敦蓋》：

似兀字即元字之省。

高師鴻縉先生《中國字例》三篇頁二四：

元兀一字，意爲人之首也。……从人，而以●或二指明其部位，正指其處，故爲指事字。《左傳・僖公三十三年》：「狄人歸其元。」《孟子・滕文公下》：「勇士不忘喪其元。」兩元字皆用本意。後世元、兀二字分化，其假借之意亦相差異矣。高而上平爲兀之假借意。始亦元之假借意。兀不从一在人上，元亦不从一从兀。

綜合以上諸家之說，釋義部分：《說文》以爲「始也」；從古文字下手的學者則多半贊成戴侗的說法，以爲當釋「首也」。案：後說是也。六書部分：《說文》以爲是形聲字；小徐以爲「不當有聲」，當是「从一兀」的會意字；戴侗以爲是「从儿、从二」的會意字；高鴻縉先生以爲是指事字。如此一來，「元」之一字，竟然在六書分類之中，象形、指事、會意、形聲四書兼具，這是不是非常奇特呢？其實，這是文字發展中常見的現象。我們可以舉一個和它非常類似的「天」字爲例。

「天」字在殷金文中作「□」（天鼎）③，象正面站立的人形，而特別誇張他的頭部。因爲圓筆不好畫，所以在甲骨文中可以寫作「□」（《甲》3690），又簡化作「□」，（《乙》6857），古文字一長畫之上往往會加繫，多加一短橫畫，因此又作「□」（《拾》5.14），《說文》小篆作「□」。有關它的形義及六書，歷代說法也相當分歧，茲擇其要列之如下：

《說文》：

顛也，至高無上，从一大。

朱駿聲《通訓定聲》：

按，大猶人也。天在人上，仰首見之，一指事。

孔廣居《說文疑疑》：

一、數之始也。莫始于天，莫大于天，故天从一大。長州陳氏棫曰：「大象人形，一即古文上，會人上，即天意。」

章太炎《小學答問》：

問曰：「《說文》：『天，顛也。』《易》曰：『其人天且劓。』馬融曰：『黥鑿其額曰天。』不解鑿額何以偁天？答曰：「天即顛。《爾雅》顛爲頂，亦爲頟。〈釋畜〉：『馰顙白顛。』〈周南〉：『麟之定。』傳：『定，題也。』一本題作顛。（顛、定、題皆雙聲，陸以顛爲誤，非也。）明題、顙得偁顛矣。去耳曰刵、去鼻曰劓、去而曰耏、去涿曰斀，皆從其聲類造文。去髕直曰髕，鑿顛直曰顛，不造它文，直粤本誼，引而申之。又〈刑法志〉說秦刑有鑿顛，《山海經》說獸名有刑天，刑天無首，蓋被鑿顛之刑，彼顛則指頂耳。」

王國維《觀堂集林．卷六．釋天》：

古文天字本象人形，殷虛卜辭或作[字形]，盂鼎、大豊敦作[字形]，其首獨巨，按《說文》：「天、顛也。」《易．睽．六三》：「其人天且劓。」馬融亦釋天爲鑿顛之刑。是天本謂人顛頂，故象人形，卜辭、盂鼎之[字形]、[字形]二字所以獨墳其首者，正特著其所象之處也。殷虛卜辭及齊侯壺又作[字形]，則別以一畫記其所象之處，古文字多有如此者，……此蓋六書中之指事也。故[字形]、[字形]爲象形字，[字形]爲指事字，篆文之从一大者爲會意字，文字因其作法之不同而所屬之六書亦異，知此可與言小學矣。⑤

綜合以上諸說，釋義部分：《說文》以爲「顚也」，依「至高無上，从一大」的釋形，顯然《說文》的「顚」是「高」的意思。章太炎以爲「天」是顚、頂、題之意，即頭頂。古文字學家大抵都贊同這個說法。六書部分：《說文》「从一大」，釋爲會意字，《說文疑疑》從之；朱駿聲以爲「天在人上，一指事」，則是釋爲指事字。王國維則說得最有意思，他說殷虛卜辭、盂鼎作 、 形的天字，獨墳其首，特著其所象之處，這是象形字，卜辭及齊侯壺作 的，別以一畫記其所象之處，這是指事；篆文之從一大者爲會意字，而且，「文字因其作法之不同而所屬之六書亦異，知此可與言小學矣。」這麼說來，「天」之一字，本身就具有象形、指事、會意三書。

對這樣的說法，我們應該如何看待呢？、字之爲象形，那是無可置疑的。但是，其頭形簡化爲一短橫作 之後，它的書體應該是什麼呢？象形嗎？它已經變得不像了，原來象頭部的部件現在剩下一橫畫，一定要說它是已經不像的象形字，實在有點勉強。那麼說成指事字，字從大，以一橫畫指示頭部之所在，是否比較理想呢？天字字義逐漸引申爲「至高無上」的上天義之後，許愼釋爲「从一大」，其實也是合情合理的。由此看來，文字的六書，由於字形的演變，不同的時期可以有不同的六書分類；由於字義的演變，不同的時期可臉有不同的六書分類。

推演王國維的理念，「元」字可以擁有比「天」字更多的六書分類。「天」字的象形文作「」，從人而特墳其首，所以本義是首；其後形變作「」，可以說是象形部件變得不像的象形，但不如說成是「从人」，「一」以指示首之部位，應爲指事字；形再變作「[illegible]」，我們可以看成是從人二（上），爲會意字，但也可以照《說文》說成「从一兀聲」，是形聲字，但這兒的「一」只是一個符號，不能視爲數名之字。說到這裡，我們赫然發現，文字不但因爲字形的歷史演變會產生不同的六書分類，即使在同一個時期的同一字形，由於採取不同的分類觀點，它也有可能被歸入不同的六書分類。

更有進者，「元」、「兀」本來同字，但它有一個假借義「高而上平」，《說文》：「兀：高而上平也。从一在儿上。讀若敻。」我們既然知道「兀」（即元）的本義是「首」，那麼「高而上平」一義肯定是假借義，高鴻縉先生的說法是正確的。⑦由此看來，「元」之一字，可以同時擁有象形、指事、會意、形聲、假借五書，我們把「元」字稱爲六書的模範生，它應該是當之無愧的吧！

在早期，兀元同字。但是在金文中，元兀的字形已經開始分化之際，有些應該用元字的地方，仍然有人用兀字，如：《吳季子之子劍》銘云：「吳季子之子逞之兀（元）用劍。」（《總集》7717）這個情形就和「老」、「考」的分化一樣。「老」和「考」本來是一個字，甲骨文只見「老」字，作「[illegible]」（《乙》8712），象老人散髮持杖之形（參《甲骨文字集釋》2739、《甲骨文字詁林》0034號。《甲骨文編》1046號釋爲「考」）。周代鐘鼎文「老」與「考」逐漸分化，「老」形作「[illegible]」（殳良季父壺），象老人散髮持杖之形，但是杖形已經訛變得不成形，甚至於有點接近後世的「匕」形了；「考」形則作「[illegible]」（宴簋），其實也是象老人散髮持杖之形，只是杖形也訛變得跟後世的「丂」字同形了。但是金文中「老」字和「考」字仍然經常互用，如《辛中姬皇母鼎》：「辛中姬皇母乍尊鼎，其子子孫孫用享孝于宗老。」（《總集》1104），「宗老」即「宗考」。而通常作「考」的地方，也可以作「老」，如《卿乍氒考尊》：「卿乍氒老（考）寶尊彝。」（《總集》4785），因此文字學上以「老」、「考」爲轉注字。「元」和「兀」的關係和「老」與「考」的關係完全一樣。在這一層意義上，我們也可以說「元」和「兀」是轉注字。如此一來，「元」字可以說是六書兼備。這是文字學中一個有趣而發人思考的現象，著之以請方家指正。

【附註】

① 參《金文編》0002號，注云：「元，《說文》：『始也，从一从兀。』高景成云：『乃元字初文，與兀爲一字。』」

② 此形白玉崢釋爲「兄」，《詁林》以爲「字不識，當爲人名」。參《詁林》0025號。以殷金文天字作「」，甲骨文線條化作「」例之，此字似爲「元」字之異寫。

③ 參《金文編》0003號。

④ 《山海經・海外西經》：「形天與帝至此爭神，帝斷其首，葬之常羊之山，乃以乳爲目，以臍爲口，操干戚以舞。」袁珂校注云：「查影宋本《御覽》，卷五七四、三七一固作形天，卷五五五則作邢天，卷八八七作刑天，鮑崇城校本卷五五五作刑天，今本《陶靖節集・讀山海經詩》亦作刑天，依義刑天長於形夭。天、甲骨文作 ，金文作 ，□與●均象人首，義爲顛爲頂，刑天蓋即斷首之義。意此刑天者，初本無名天神，

斷首之後始名之爲『刑天』」。

⑤《觀堂集林》卷六頁十至十一。

⑥《甲骨詁林》：「甲骨文天字……本象人之形體而突出其顛頂，其作[illegible]形者，則从上从大會意。……王國維以[illegible]爲指事，其說可商。」

⑦但是高先生以爲「始也」一義也是假借，恐怕就有待商榷了。

《楚辭》的修辭手法

蔡宗陽

修辭在追求「美」，藝術亦在追求「美」。《楚辭》的修辭之美，美不勝收。本文以修辭手法，以《楚辭》原文爲緯，闡析《楚辭》的修辭藝術。茲析論《楚辭》的修辭技巧，約有下列數端：

一、譬喻法

所謂譬喻法，是指《楚辭》以彼喻此的一種修辭方法。《楚辭》運用譬喻法甚夥，尤其是〈離騷〉最多，誠如王逸所云：「〈離騷〉之文，依詩取興，引類譬諭。故善鳥、香草以配忠貞，惡禽、臭物以比讒佞；靈修、美人以媲於君，虙妃、佚女以譬賢臣；虬龍鸞鳳，以託君子，飄風，雲霓以爲小人；其辭溫而雅，其義皎而朗，凡百君子，莫不慕其清高，嘉其文采，哀其不遇，而愍其志焉。」①劉勰亦云：「楚襄信讒，而三閭忠烈，依《詩》製〈騷〉，諷兼比興。」②《楚辭》除〈離騷〉運用譬喻法綦多外，尚有〈九歌・湘夫人〉云：

九嶷繽兮並迎，靈之來兮如雲。

此言九嶷山上的神靈來迎接湘夫人，神靈的下降如彩雲一般的飄落。「靈之來兮」，是喻體；「如」，是喻詞；「雲」，是喻依；因此全句是譬喻法的明喻。「雲」，是形容很多的樣子。又如〈九歌・國殤〉云：

旌蔽日兮敵若雲，矢交墜兮士爭先。

「旌蔽日兮敵若雲」，形容敵人很多的樣子。「矢交墜兮士爭先」，意謂兩軍對峙，流矢交墮，壯士勇猛爭先殺敵。「敵」，是喻體；「若」，是喻詞；「雲」，是喻依。「雲」，也是形容很多的樣子。「敵若雲」，意謂敵人很多如雲層密布。又如〈九歌・雲中君〉云：

浴蘭陽兮沐芳，華采衣兮若英。

此言先沐浴，再穿五色的彩衣如花一般的漂亮。「華采衣兮」，是喻體；「若」，是喻詞；「英」，是喻依；因此全句是譬喻法中的明喻。「英」，是指「花」。又如〈九歎・惜賢〉云：

俟時雨之清激兮，愈氛露其如壓。

此言等待世風清明，氛霧之氣卻聚集像塵埃籠罩。「愈氛霧」，是喻體；「如」，是喻詞；「壓」，是喻依；因此全句也是譬喻法中的明喻。「壓」，是「塵埃」之意。此外，又如〈九歎・遠游〉云：「服覺皓以殊俗兮，貌揭揭以巍巍，譬若王僑之乘雲兮，載赤霄而淩太清。」這也是譬喻法。又如〈九歎・遠游〉云：「譬彼蛟龍乘雲兮，汎淫澒溶紛若霧兮。」這也是譬喻法。

《楚辭》也有運用譬喻法中的略喻，例如〈卜居〉云：

黃鐘毀棄，瓦釜雷鳴；讒人高張，賢士無名。

全句當作「讒人高張，賢士無名；（如）黃鐘毀棄，瓦釜雷鳴」。將「賢士」比方作「黃鐘」，「讒人」比方作「瓦釜」。「讒人高張，賢士無名」，是喻體；「如」，是喻詞，省略；「黃鐘毀棄，瓦釜雷鳴」，是喻依；因此全句是譬喻法中的略喻。「黃鐘毀棄」，比喻賢士不被聖明君主任用，如黃鐘被毀棄，因此賢士沒沒無聞。「瓦釜雷鳴」，比喻小人被昏君重用，昏君聽信小人讒言，陷害忠良，因此讒人囂張、高張。又如〈漁父〉云：

屈原曰：「舉世皆濁我獨清，眾人皆醉我獨醒，是以見放。」

此言屈原的高風亮節，由於小人陷害，以致被放逐。「舉世皆濁我獨清，眾人皆醉我獨醒」。當作「舉世皆濁我獨清，（如）衆人皆醉我獨醒」。「舉世皆濁我獨清」，是喻體；「如」，是喻詞；「衆人皆醉我獨醒」，是喻依；因此全句是譬喻法中的略喻。「衆人皆醉我獨醒」，是具體；「舉世皆濁我獨清」，是抽象；這是具體說明抽象，也是譬喻法的功用。

二、類疊法

所謂類疊法，是指《楚辭》運用重疊或間隔相同的字句的一種修辭方法。《楚辭》運用類疊法綦多，例如〈離騷〉云：

芳菲菲而難虧兮，芬至今猶未沫。

此言屈原行爲純美，芬芳勃勃，久而彌盛；易言之，屈原雖遭遺棄，猶不肯隨波逐流，宛如花之芬芳，未曾稍減。「芳菲菲」，是鑲疊法。「菲菲」，是類疊中的疊字。又如〈離騷〉云：

　　鳳皇翼其承旂兮，高翱翔之翼翼。

此言屈原動順天道，嘉忠正，懷有德，誠如鳳凰隨車，敬承旂旗，高飛翱翔，翼翼而和。「翼翼」，形容飛動整齊平和的樣子。「翼翼」，是類疊中的疊字。〈離騷〉運用疊字者甚多，例如「余固知謇謇之爲患兮，忍而不能舍也。」「老冉冉其將至兮，恐脩名之不立。」「矯菌桂以紉蕙兮，索胡繩之纚纚。」「高余冠之岌岌兮，長余佩之陸離。」「女嬃之嬋媛兮，申申其詈予。」「攬茹蕙以掩涕兮，霑余襟之浪浪。」「路曼曼其脩遠兮，吾將上下而求索。」「紛總總其離合兮，斑陸離其上下。」「時曖曖其將罷兮，結幽蘭而延佇。」「皇剡剡其揚靈兮，生余以吉故。」「揚雲霓之晻藹兮，鳴玉鸞之啾啾。」「駕八龍之婉婉兮，載雲旗之委蛇。」「抑志而弭節兮，神高馳之邈邈。」此外，又如〈九歌．東皇太一〉云：「靈偃蹇兮姣服，芳菲菲兮滿堂。五音紛兮繁會，君欣欣兮樂康。」「菲菲」、「欣欣」，皆是類疊中的疊字。又如〈九歌．雲中君〉云：「靈連蜷兮既留，爛昭昭兮未央。」「靈皇皇兮既降，猋遠舉兮雲中。」「思夫君兮太息，極勞心兮蟲蟲。」「昭昭」、「皇皇」，皆是類疊中的疊字。又如〈九歌．湘君〉云：「石瀨兮淺淺，飛龍兮翩翩。」「淺淺」、「翩翩」，皆是疊字。又如〈九歌．湘夫人〉云：「帝子降兮北渚，日眇眇兮愁予。嫋嫋兮秋風，洞庭波兮木葉下。」「眇眇」、「嫋嫋」，皆是疊字。又如〈九歌．大司命〉云：「紛總總兮九州，何壽夭兮在予？」「老冉冉兮既極，不寖近兮愈疏。乘龍兮轔轔，高駝兮沖天。」「總總」、「冉冉」、「轔轔」，皆是疊字。又如〈九歌・少司命〉云：「綠葉兮素枝，芳菲菲兮襲予。」「秋蘭兮青青，綠葉兮紫莖。」「菲菲」、「青青」，皆是疊字。又如〈九歌・東君〉云：「撫余馬兮安驅，夜皎皎兮既明。」「撰余轡兮高駝翔，杳冥冥兮以東行。」「皎皎」、「冥冥」，皆是疊字。又如〈九歌・河伯〉云：「波滔滔兮來迎，魚鄰鄰兮媵予。」「滔滔」、「鄰鄰」，皆是疊字。又如〈九歌・山鬼〉云：「表獨立兮山之上，雲容容兮而在下，杳冥冥兮差晝晦，東風飄兮神靈雨。」「雷塡塡兮雨冥冥，援啾啾兮又夜鳴，風颯颯兮木蕭蕭，思公子兮徒離憂。」「容容」、「冥冥」、「啾啾」、「颯颯」、「蕭蕭」，皆是疊字。除〈九歌〉運用疊字外，〈天問〉也運用疊字，例如：「明明闇闇，惟時何爲？」〈九章〉亦運用疊字，例如〈九章・涉江〉云：「深林杳以冥冥兮，猨狖之所居。」「霰雪紛其無垠兮，雲霏霏而承宇。」〈九章・哀郢〉云：「慘鬱鬱而不通兮，蹇侘傺而含感。」〈九章・抽思〉云：「心鬱鬱之憂思兮，獨永歎乎增傷。」〈九章・懷沙〉云：「滔滔孟夏兮，草木莽莽。」〈九章・思美人〉云：「獨煢煢而南行兮，思彭成之故也。」〈九章・悲回風〉云：「愁鬱鬱之無快兮，居戚戚而不可解。」〈遠遊〉亦運用疊字，例如：「夜耿耿而不寐兮，魂煢煢而至曙。」〈卜居〉亦運用疊字，例如：「吾寧悃悃款款，朴以忠乎？」〈漁父〉亦運用疊字，例如：「安能以身之察察，受物之汶汶者乎？」〈九辯〉亦運用疊字一例如：「去白日之昭昭兮，襲長夜之悠悠。」《楚辭》運用疊字頗多，亦運用類句，例如〈招魂〉云：

魂兮歸來，去君之恆幹，何爲四方些。……

魂兮歸來，南方不可止些，……
魂兮歸來，西方之害，流沙千里些，……
魂兮歸來，北方不以止些，……
魂兮歸來，君無下此幽都些，……
魂兮歸來，入修門些，……魂兮歸來，反故居些。

間隔使用「魂兮歸來」，以招屈原之魂。此外，尚有〈大招〉亦運用類疊中之類句，例如：「魂乎無南，南有炎火千里，蝮蛇蜒只，山林險隘，虎豹蜿只，鰅鱅短狐，王虺騫只，魂乎無南，蜮傷躬只。」間隔使用「魂乎無南」，以闡明魂乎無敢南行，水中多蜮鬼，必傷害於爾躬。

三、設問法

所謂設問法，是指《楚辭》運用自問自答或問而不答的一種修辭方法。《楚辭》運用設問法，不乏其例，例如〈離騷〉云：

不撫壯而棄穢兮，何不改乎此度？乘騏驥以馳騁兮，來吾道夫先路。

此言國君在年德盛壯之時，宜修明政教，捐棄讒佞，勿害賢智，修先王之法；若任用賢智，可成於治。國君任用賢人，屈原得伸展其理想與抱負。易言之，屈原至盼國君勿聽信小人讒言，殘害忠良。屈原以設問法表達，言辭含蓄而婉轉。「不撫壯而棄穢兮，何不改乎此度？」這是問而不答，答案在問題反面的激問，激問的語氣比較委婉。又如〈離騷〉云：

鷙鳥之不群兮，自前世而固然；何方圜之能周兮，夫孰異道而相安？

此言忠正之士，執分守節，不隨俗人，如同鷙鳥執志剛厲，特立不群，因此忠佞不相爲謀，宛若方與圓如何能相合？「何方圜之能周兮，夫孰異而相安？」以設問法闡述忠與奸不能相安，正如方與圓不能相同。一言以蔽之，道不同，不相爲謀。「何方圜之能周兮，夫孰異而相安？」這是設問法兼譬喻法。既是設問中的激問，又是譬喻中的略喻。全句當作「夫孰固而相安，（如）何方圜之能周兮」，這是倒裝式的略喻。〈離騷〉尚有運用設問法者，例如：「汝何博謇而好脩兮，紛獨有此姱節？」「衆不可戶說兮，孰云察余之中情？」「夫孰非義而可用兮，孰非善而可服？」「兩美其必合兮，孰信脩而慕之？」「何所獨無芳草兮，爾何懷乎故宇？」「時繽紛其變易兮，又何可以淹留？」

〈九歌〉運用設問法者，亦不乏其例。例如〈九歌．雲中君〉云：

靈皇皇兮既降，猋遠舉兮雲中。覽冀州兮有餘，橫四海兮焉窮？

此言國君如雲神，往來急疾，猋然遠舉，出入奄忽，須臾之間，橫行四海，安有窮極。易言之，屈原思有道之君，故覽之。「覽冀州兮有餘，橫四海兮焉窮？」這是設問中的激問。屈原以設問法，期盼看見有道之君。〈九歌〉尚有運用設問法者，例如〈湘夫人〉云：「麋何食兮庭中？蛟何爲兮水裔？」〈大司命〉云：「愁人兮奈何？願若今兮無窮。固人命兮有當，孰離合兮可爲？」〈少司命〉云：「夫人自有兮美子，蓀何以兮愁苦？」〈河伯〉云：「靈何爲兮水中？」〈山鬼〉云：「留靈脩兮憺亡歸，歲既晏兮孰華予？」〈天問〉通篇運用一百七十二個設問法，上自天文，中及人事，下至地理。〈九章〉運用設問法者，亦不乏其例，例如〈九章・抽思〉云：「初吾所陳之耿著兮，豈至今其庸亡？」「夫何極而不至兮？故遠聞而難虧。」〈悲回風〉云：「軋洋洋之無從兮，馳委移之焉止？」「驟諫君而不聽兮，重任石之何益？」〈卜居〉運用設問法甚多，屈原不知「孰吉孰凶？何去何從？」以十七個設問法請教詹尹，詹尹答以「用君之心，行君之意，龜策誠不能知事。」〈漁父〉亦運用設問法，例如：「世人皆濁，何不淈其泥而揚其波？衆人皆醉，何不餔其糟而歠其釃？」「新沐者必彈冠，新浴者必振衣。安能以身之察察，受物之汶汶者乎？寧赴湘流，葬於江魚之腹中。安能以皓皓之白，而蒙世俗之塵埃乎？」〈九辯〉亦運用設問法，例如「私自憐兮何極？心怦怦兮諒直。」「竊不敢忘初之厚德，獨悲愁其傷人兮，馮鬱鬱其何極？」「莽洋洋而無極兮，忽翱翔之焉薄？」

東方朔〈七諫〉亦運用設問法，例如〈七諫・自悲〉云：「駕青雲以馳騖兮，班衍衍之冥冥，忽容容其安之兮，超慌忽其焉如？苦衆人之難信兮，願離群而遠舉。」〈謬諫〉云：「駕蹇驢而無策兮，又何路之能極？以直鍼而爲釣兮，又何魚之能得？伯牙之絕弦兮，無鍾子期而聽之。」王褒〈九懷〉亦運用設問法，例如〈九懷・通路〉云：「浮雲兮容與，道原兮何之？」〈危俊〉云：「林不容兮鳴蜩，余何留兮中州？」〈蓄英〉云：「唐虞兮不存，何故兮久留？」〈陶壅〉云：「覽杳查兮世惟，余惆悵兮何歸？」劉向〈九歎〉運用設問法者，例如〈九歎・逢紛〉云：「讒夫藹藹而漫著兮，曷其不舒予情？始結言於廟堂兮，信中塗而叛之。」王逸〈九思〉運用設問法者，例如〈九思・逢尤〉云：「走罔兮乍東西，欲竄伏兮其焉如？念靈閨兮隩重深，願竭節兮隔無田。」《楚辭》運用設問法，多半運用問而不答的激問。

四、排比法

所謂排比法，是指《楚辭》運用同一性質、同一範圍、結構相似的一種修辭方法。《楚辭》運用排比法頗多，例如〈離騷〉云：

> 皇覽揆余于初度兮，肇錫余以嘉名：名余曰正則兮，字余曰靈均。

此言屈原乃父命名曰正則，以「正平可法則者，莫過於天」①；賜字曰靈均，以「養物均調，莫神於地」②；易言之，上可法天，下可法地。伯庸期盼屈原上能安君，下能養民。「名余曰正則兮，字余曰靈均。」就整體而言，是單句排比。就部分而言，是類疊兼對偶。間隔使用相同的「余曰」二字，是類疊中的類字。「名」與「字」、「正則」與「靈均」，是對偶。又如〈九歌．湘夫人〉云：

> 捐余袂兮江中，遺余褋兮醴浦；搴汀洲兮杜若，將以遺兮遠者。

此言屈原託與湘夫人共鄰而處，舜迎之而去，無所依靠；易言之，湘夫人既去，君復背己，一無所用，故求高賢之士，共修道德，因此既詒湘夫人以袂褋，又遺遠者以杜若，好賢不已。「捐余袂兮江中，遺余褋兮醴浦。」就整體而言，是排比；就部分而言，是類疊兼對偶。間隔使用「余」、「兮」，是類疊中的類字。「捐」對「遺」，皆是動詞，又是平仄相對，是嚴對。「袂」對「褋」，皆是名詞，是對偶。「江」對「醴」，「中」對「浦」，皆是對偶。〈天問〉亦運用排比法者，例如：「何所冬暖？何所夏寒？」就整體而言，是排比；就部分而言，是類疊兼對偶、映襯。間隔使用的「何所」，是類疊中的類字。「名」對「夏」，既是名詞相同，又是平仄相對，屬於嚴對。「暖」與「寒」，既是對偶，又是映襯。

〈九章〉亦運用排比法者，例如〈九章・涉江〉云：「與天地兮同壽，與日月兮同光。」就整體而言，是排比；就部分而言，既是類疊，又是對偶。間隔使用相同的「與」字、「兮」字、「同」字，是類疊中的類字。「天地」與「日月」、「壽」與「光」，既是名詞相同，又是對偶。〈卜居〉亦運用排比法者，例如：「尺有所短，寸有所長，物有所足，智有所不明，數有所不逮，神有所不通。」「尺有所短，寸有所長。」就整體而言，是排比；就部分而言，既是類疊，又是對偶，也是映襯。間隔使用相同的「有所」二字，是類疊中的類字。「尺」與「寸」、「短」與「長」，既是對偶，又是映襯。「物有所不足，智有所不明，數有所不逮，神有所不通。」就整體而言，是排比；就部分而言，是類疊。間隔使用相同的「有所不」三字，是類疊中的類字。〈漁父〉亦運用排比法者，例如：「新沐者必彈冠，新浴者必振衣。」就整體而言，是排比；就部分而言，既是類疊，又是對偶。間隔使用相同的「新」字、「者」字、「必」字，皆是類疊中的類字。「沐」與「浴」、「彈」與「振」、「冠」與「衣」，皆是對偶。「彈」與「振」，既是動詞相同，又是平仄相對，是對偶中的嚴對。

五、映襯法

所謂映襯法，是指《楚辭》運用正反強烈對比的一種修辭方法。《楚辭》運用映襯法者甚多，例如〈離騷〉云：

何昔日之芳草兮，今直爲此蕭艾也？豈其有他故兮，莫好脩之害也！

此言士民變曲爲直，以上不好用忠正之人，害其善志，是以往日明智之士，今皆佯愚，狂惑不顧，宛如往昔芬芳之草，今則變爲蕭艾之賤草。蕭艾之賤草，以喻不肖，是以「蕭艾」屬於譬喻中的借喻。「昔」與「今」，是正反對比的映襯。「芳草」與「蕭艾」，亦是正反對比的映襯。又如〈九歌・少司命〉云：

入不言兮出不辭，乘回風兮載雲。悲莫悲兮生別離，樂莫樂兮新相知。

此言司命乘風載雲，不可復見，以喻君之心與屈原相背。易言之，屈原認爲自己無新相知之樂，而有生別離之憂；以喻屈原起初近君而樂，復去君而悲。「悲」與「樂」，是正反對比之映襯。又如〈九章・懷沙〉云：

變白以爲黑兮，倒上以爲下。鳳皇在笯兮，雞鶩翔舞。

此言聖人困厄，小人得志。作者以「白」、「上」、「鳳皇」，譬喻聖人；以「黑」、「下」、「雞鶩」，譬喻小人。「變白以爲黑兮」，是映襯；「倒上以爲下」，也是映襯；「鳳皇在笯兮，雞鶩翔舞」，亦是映襯。「白」與「黑」、「上」與「下」、「鳳皇」與「雞鶩」，皆是正反對比的映襯。又此外，又如〈遠遊〉云：「往者余弗及兮，來者吾不聞。」「來」與「往」，是正反對比的映襯。又如〈卜居〉云：「世溷濁而不清，蟬翼爲重，千鈞爲輕。」「蟬翼爲重」，譬喻親近佞讒的小人；「千鈞爲輕」，譬喻遠離忠良的君子。「蟬翼」與「千鈞」、「輕」與「重」，皆是正反對比的映襯。

〈卜居〉尚有運用映襯法者，例如：「黃鐘毀棄，瓦釜雷鳴。」「讒人高張，賢士無名。」「寧昂昂若千里之駒乎？將氾氾若水中之鳧乎？」「寧與騏驥亢軛乎？將隨駑馬之迹乎？」「寧與黃鵠比翼乎？將與雞鶩爭食乎？」「黃鐘」與「瓦釜」、「讒人」與「賢士」、「千里之駒」與「水中之鳧」、「騏驥」與「駑馬」、「黃鵠」與「雞鶩」，皆是正反對比的映襯。

〈漁父〉亦運用映襯法者，例如：「舉世皆濁我獨清，衆人皆醉我獨醒。」「滄浪之水清兮，可以濯吾纓；滄浪之水濁兮，可以濯吾足。」「安能以身之察察，受物之汶汶者乎？」「安能以皓皓之白，而蒙世俗之塵埃乎？」「濁」與「清」、「醉」與「醒」、「水清」與「水濁」，皆是正反對比的映襯。此外，〈九辯〉亦運用映襯法者，例如：「去白日之昭昭兮，襲長夜之悠悠。」「去」與「襲」、「昭昭」與「悠悠」，皆是對偶。「白日」與「長夜」，既是對偶，又是映襯。「白日」與「長夜」，是正反對比的映襯。又如東方朔〈七諫〉云：「往者不可及兮，來者不可待。」「往者」與「來者」，是正反對比的映襯。

六、對偶法

所謂對偶法，是指《楚辭》運用兩兩相對，或平仄相對，或詞性相同的一種修辭方法。《楚辭》運用對偶法者，例如〈離騷〉云：

朝飲木蘭之墜露兮，夕餐秋菊之落英，苟余情其信姱以練要兮，長顑頷亦何傷！

此言衆人欲飽於財利，惟獨屈原欲飽於仁義，是以屈原雖飢而不飽，亦何所傷病。「朝飲木蘭之墜露兮，夕餐秋菊之落英」，是對偶。「朝」對「夕」，既是詞性相同，又是平仄協調，也是意義相反之對偶。「飲」與「餐」，皆是動詞，也是對偶。「餐」，原是名詞，此處當動詞用，這是轉品。「木蘭」對「秋菊」，既是詞性相同，又是平仄協調的對偶。「墜」與「落」，皆是動詞，也是對偶。「露」與「英」，皆是名詞；既是詞性相同，又是平仄協調的對偶。又如〈九歌．國殤〉云：

凌余陣兮躐余行，左驂殪兮右刃傷。

此言敵人侵入屯陣、行伍，左馬被殺死，右馬被砍傷。易言之，描述敵人入侵的概況。「凌」與「躐」，皆是動詞；既是詞性相同，又是平仄協調的對偶。「陣」與「行」，皆是名詞；既是詞性相同，又是平仄協調的對偶。「左」與「右」、「驂」與「刃」、「殪」與「傷」，皆是對偶。「驂」與「刃」，皆是名詞；既是詞性相同，又是平仄協調的對偶。「殪」與「傷」，皆是動詞；既是詞性相同，又是平仄協調的對偶。〈國殤〉運用對偶法者，尚有「操吳戈兮被犀甲，車錯轂兮短兵接。」「霾兩輪兮縶四馬，援玉枹兮擊鳴鼓。」「天時墜兮威靈怒。」「帶長劍兮挾秦弓。」「操」與「被」，皆是動詞，是詞性相同的對偶。「吳戈」與「犀甲」，皆是名詞，是詞性相同的對偶。「操吳戈兮被犀甲」，是當句對。「霾」與「縶」，皆是動詞；既是詞性相同，又是平仄協調的對偶。「援」與「擊」，皆是動詞，是詞性相同的對偶。「玉枹」與「鳴鼓」，是對偶。「援玉枹兮擊鳴鼓」，是當句對。「天時墜兮威靈怒」，也是當句對。「天時」對「威靈」，「墜」對「怒」。「帶長劍兮揍秦弓」，也是當句對。「帶」與「挾」，皆是動詞，也是對偶。「長劍」與「秦弓」，亦是對偶。此外，又如〈禮魂〉云：「春蘭兮秋菊，長無絕兮終古。」「春蘭兮秋菊」，也是當句對。「春」與「秋」，「蘭」與「菊」，皆是詞性相同的對偶。「蘭」與「菊」，又是平仄協調的對偶。又如〈漁父〉云：

屈原既放，游於江潭，行吟澤畔，顏色憔悴，形容枯槁。

此言屈原被放逐後的表情，十分窮苦潦倒。「顏色憔悴，形容枯槁」，是單句對。「顏色」與「形容」，皆是名詞，是詞性相同的對偶。「憔悴」與「枯槁」，皆是形容詞，也是詞性相同的對偶。又如〈九辯〉云：「去鄉離家兮徠遠客。」「去鄉離家」，是當句對。「去」與「離」，既是詞性相同，又是平仄協調的對偶。又如王逸〈九思．逢尤〉云：「悲兮愁，哀兮憂，天生我兮當闇時。」「悲兮愁，哀兮憂。」是單句對。「悲」對「哀」，「愁」對「憂」。

《楚辭》不止運用譬喻法、類疊法、設問法、排比法、映襯法、對偶法，亦運用轉品。此外，尚有運用倒裝法，例如〈九歌．東皇太一〉云：「吉日兮辰良，穆將愉兮上皇。」「吉日兮辰良」，當作「吉日兮良辰」。又如〈九歌・湘君〉云：「君不行兮夷猶，蹇誰留兮中洲。」全局當作「君不行兮猶夷，蹇留誰兮洲中。」又如〈九辯〉云：「悲哉秋之爲氣也。」全句當作「秋之氣也悲哉！」又有運用頂針法者，例如〈九歌・湘君〉云：「望涔陽兮極浦，橫大江兮揚靈，揚靈兮未極，女嬋媛兮爲余太息。」上句用「揚靈」，下句亦用「揚靈」，這是句子頂針。又如〈九歌・大司命〉云：「羌愈思兮愁人。愁人兮奈何？」上下句皆使用「愁人」，這也是句子頂針。若再深入探析，尚有很多修辭技巧，囿於篇幅，不再贅述。

【附註】

① 見王逸注《楚辭》，頁四，臺北：漢京文化事業有限公司印行，民國七十二年九月初版。

② 同註①。

國家圖書館出版品預行編目資料

劉正浩教授七十壽慶榮退紀念文集 / 劉正浩教授七十壽慶榮退紀念文集編委會編輯. -- 初版. -- 臺北市：文史哲, 民 88
面： 公分. --
含參考書目
ISBN 957-549-235-8(精裝)

1.中國文學 - 論文,講詞等 2.經學 - 論文,講詞等
820.7 88011686

劉正浩教授七十壽慶榮退紀念文集

編輯者：劉正浩教授七十壽慶榮退紀念文集編委會
出版者：文史哲出版社
登記證字號：行政院新聞局版臺業字五三三七號
發行人：彭正雄
發行所：文史哲出版社
印刷者：文史哲出版社
臺北市羅斯福路一段七十二巷四號
郵政劃撥帳號：一六一八〇一七五
電話 886-2-23511028 · 傳眞 886-2-23965656
精裝實價新臺幣 五〇〇元
中華民國八十八年八月三十日初版

ISBN 957-549-235-8